Je cherche un livre pour un enfant

Le guide des livres pour les 8/16 ans

Une collection conçue et dirigée par **Sophie Van der Linden**

Titres déjà parus dans cette collection :
Je cherche un livre pour un enfant
Le Guide des livres pour enfants de la naissance à sept ans,
de Sophie Van der Linden,
Novembre 2011, 19,50 € - EAN 9782070643509

L'auteur remercie

L'équipe de la Médiathèque de Bagneux qui a dû assurer le service public avec une personne en moins et particulièrement l'équipe du secteur jeunesse **– Évelyne, Françoise, Marianne** et **Rozenn –** qui a continué à mener de front tous nos projets pendant que je prenais du temps pour faire ce livre.

Marie-Charlotte Delmas, directrice de la Médiathèque, qui m'a autorisé à prendre ce temps.

La librairie Le Merle Moqueur et tout spécialement **Gwendoline Delaporte**, responsable du rayon jeunesse qui m'a permis de rencontrer les cinq lectrices du club lecture : **Capucine, Louise, Kenz, Loubaya** et **Leni** que je remercie aussi de m'avoir accueilli dans leur petit groupe.

Celles et ceux qui ont bien voulu me faire part de leurs lectures pour alimenter ce guide, en particulier **Marie et Hugo** ; **Jean-Marie**, **Sophie**, **Guillaume et Jérémie** ; **Manuel**, **Noémie**, **Joachim et Siméon** ; et **Serge**, aussi.

Céline et son œil de lynx.

Toute l'équipe de la librairie Colibrije qui me fait toujours le meilleur des accueils.

Denis Guiot et **François Place** pour leur disponibilité.

Elsa, qui sait pourquoi.

//

Coréalisation
Gallimard Jeunesse - Éditions De Facto
www.gallimard-jeunesse.fr
www.editionsdefacto.com

Conception graphique et maquette
Genaro Studio

Photographies
Franck Stromme

Correcteur
Belle Page

Imprimé en Espagne par
Egedsa

//

ISBN : 978-2-07-064350-9
Numéro d'édition : 233832
Dépôt légal : novembre 2011

TONY DI MASCIO

CONCEPTION GRAPHIQUE : GENARO STUDIO

« N'attends jamais le lendemain
Quand quelqu'un t'offre de prendre un bain »
PROVERBE DALMATE. ANTIQUITÉ TARDIVE.

À toi, évidemment.
En souvenir de tous les mots
qui arrivent trop tard
mais qui demeurent
malgré tout.

JE CHERCHE UN LIVRE POUR UN ENFANT

GALLIMARD JEUNESSE   ÉDITIONS de facto

sommaire

MODE D'EMPLOI

8+ 9+ 10+ 11+ 12+ 13+ 14+ 15+

Indique l'âge à partir duquel le livre peut être lu. Attention, chaque enfant est unique, possède son propre rythme de développement et surtout, a des besoins très variés en fonction de son parcours. Sans compter qu'un livre ambitionne généralement de s'adresser à de nombreux lecteurs sans limite d'âge.

A ROALD DAHL I QUENTIN BLAKE
AI FRANÇOIS PLACE M OLIVIER MELLANO

A désigne l'auteur, I l'illustrateur, AI désigne un créateur qui réalise aussi bien le texte que les images (auteur-illustrateur) et M le musicien dans le cas de livres-disques.

POUR REBONDIR

Concerne des ouvrages qui soit s'adressent aux adultes ou aux lecteurs de plus de 16 ans, soit présentent un sujet proche du thème de la sélection sans pour autant en faire partie.

À VOIR EN BIBLIOTHÈQUE

Indique des ouvrages épuisés qui présentent pourtant suffisamment d'intérêt pour être vus en bibliothèque. Bien entendu, il peut arriver que certains de ces livres donnent lieu un jour à une nouvelle commercialisation.

ET AUSSI

Liste complémentaire d'ouvrages.

Gallimard Jeunesse - **2006 (1986)** - EAN 9782070562972

L'année de publication correspond généralement à la plus récente édition disponible au format poche. L'année de publication initiale est précisée entre parenthèses.

Gallimard Jeunesse - 2006 (1986) - **EAN 9782070562972**

Le code choisi pour le référencement des livres est l'EAN (European Article Number, système européen de codification des produits utilisé dans les codes barres). À partir de ce code, le libraire peut facilement retrouver les références du livre.

★ TOM-TOM ET NANA

Bayard Jeunesse, 2004 (1977) - 34 vol. - **1, Tom Tom et l'impossible Nana** - EAN 9782747013796 - 6,90 €

Pour les séries, le titre générique est indiqué en tête tandis que le titre du premier volume ou d'un volume précis dont il est question dans la notice est mentionné dans le bandeau situé sous la critique.

Bayard Jeunesse, 2004 (1977) - **34 vol.** - 1, Tom Tom et l'impossible Nana - EAN 9782747013796 - 6,90 €

Indication du nombre de volumes que compte une série au moment de la parution du guide.

Pour chaque entrée, ce guide propose des sélections organisées en parcours : les livres se font écho par association d'idées, par réseau de lectures à partir de l'œuvre de l'auteur, du thème traité ou du type d'écriture.

La volonté n'est pas d'épuiser tous les possibles mais bien d'offrir des pistes de lectures et de réflexions dans lesquelles puiser des propositions pour chaque jeune lecteur.

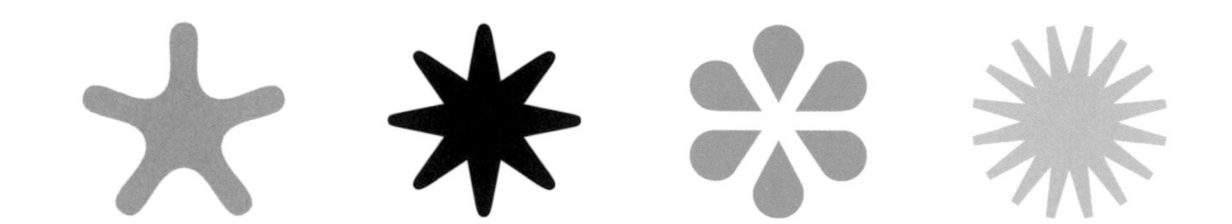

8

INTRODUCTION

AIMER LIRE N'EST PAS INNÉ NI NATUREL

Au-delà des problèmes techniques liés à l'apprentissage de la lecture, le goût de lire se développe en famille, avec les ami(e)s, à l'école, au gré des rencontres avec les livres eux-mêmes et les autres « passeurs » susceptibles d'accompagner les jeunes : animateurs, libraires, bibliothécaires…

À une époque où les écrans ont envahi le quotidien des jeunes et des adultes, de la télévision à la tablette numérique en passant par les ordinateurs et les téléphones portables, quelle peut bien être la place du livre et de la lecture ? Évitons tout d'abord de confondre la pratique et le support : lire sur un ordinateur ou sur un smartphone, c'est, encore et toujours, lire. Et pourtant, lire « un livre » reste une expérience particulière qu'il ne faut pas opposer aux autres pratiques mais qui doit, encore plus aujourd'hui qu'auparavant, se construire.

C'est à nous, adultes, d'être attentifs et disponibles pour conseiller au mieux les enfants dans leur parcours. Ce guide se veut une aide, en particulier destinée aux parents, pour se repérer dans le foisonnement de la production. Ce n'est donc pas une sélection des « meilleurs titres » ou des « incontournables » mais plutôt une proposition qui tente de prendre en compte ce qu'offre l'édition, ce que les enfants plébiscitent et ce que les parents ou les autres médiateurs aimeraient bien que les jeunes lisent. Ce qui correspond souvent à trois visions différentes !

Mais évitons de donner un poids démesuré au fait qu'un enfant lise ou ne lise pas. C'est le meilleur moyen de sacraliser la lecture et même de la rendre effrayante aux yeux des faibles lecteurs ! Et puis lire, ce n'est pas forcément lire uniquement des romans littéraires ou des chefs-d'œuvre. Il faut du temps et du choix pour faire un lecteur.

À vous désormais d'être à l'écoute des jeunes qui vous entourent et de piocher, ici ou là au gré des pages de ce guide, la lecture qui conviendra le mieux à leur envie du moment… et d'en tirer votre propre sélection.

JE VOUDRAIS UN LIVRE POUR UN ENFANT OU UN JEUNE...

QUELQUES MOTS SUR L'ÂGE DU LECTEUR

FAUT-IL TENIR COMPTE DE L'ÂGE DU LECTEUR POUR LUI PROPOSER UN LIVRE ?

Bien évidemment, on n'offre pas la même chose à un enfant de 8 ans et à un de 16. Mais la question s'avère plus complexe. Si chaque ouvrage ici sélectionné comporte une indication de « l'âge minimum » à partir duquel le livre peut être suggéré, la construction des différentes parties tente de tenir davantage compte des compétences de lecture et des sujets abordés que de l'âge de l'éventuel lecteur. Ce sera donc à l'adulte d'échanger avec le jeune pour savoir si le livre correspond bien à son attente.

Chaque lecteur est différent : il y a des enfants qui dévorent les livres et d'autres qui s'ennuient à la lecture d'un texte, même court. Comment choisir au plus juste pour chacun d'eux ? Certainement pas en les « enfermant » dans leur âge. Mais il faudra néanmoins en tenir compte pour ne pas choquer l'un ou vexer l'autre à cause du sujet du livre ou même de l'image d'eux-mêmes qu'il leur renvoie.

S'il est vrai que l'école nous a habitués à une logique de progression (chaque année, on doit pouvoir lire des choses plus compliquées sans revenir en arrière), le cheminement naturel de chacun n'obéit pas forcément à ce schéma. Un parcours de lecteur n'est pas linéaire mais fait de détours, de va-et-vient, d'allers et retours. Et même le plus lettré des adultes ne lit pas que des traités philosophiques ! Il aime aussi s'évader avec un bon roman policier ou feuilleter un magazine « people ». Ce n'est donc pas parce qu'un jeune est capable de lire un gros roman qu'il ne peut pas lire un album avec plaisir et vice versa !

Néanmoins, pour plus de facilité, les parties qui suivent vont de lectures simples à des lectures plus complexes.

Le choix a été fait, également, de mettre en avant les séries, car elles suscitent un fort engouement et sont importantes dans un parcours de lecteur. Vous trouverez donc une sélection « repère » de séries très connues (voir page 38) et un choix de titres correspondant à chaque niveau (pages 20 et 28). Ils vous serviront à vous positionner pour adapter votre conseil et vous faire votre propre avis.

Je voudrais un livre pour un enfant ou un jeune…

…qui commence à lire tout seul

IL N'EST PAS FACILE DE TROUVER DES PETITS TEXTES ATTIRANTS, ASSEZ CONSÉQUENTS, MAIS PAS TROP DIFFICILES QUI PERMETTRONT À CHAQUE ENFANT, SELON SON BESOIN ET SON ENVIE, D'ENTRER DANS UNE DYNAMIQUE DE LECTURE. Et faut-il conseiller les filles et les garçons de manière différente ? Impossible de ne pas tenir compte de cette question : il est des âges où la différence sexuelle construit l'identité. N'oublions jamais que l'affectif et le partage sont importants dans un parcours. Mais, le plus souvent possible, les quelques textes proposés s'adresseront, comme des repères, à des sensibilités variées plutôt qu'à une catégorie identitaire. L'essentiel ne consiste pas à trouver le chef-d'œuvre ni même le « coup de cœur » mais plutôt d'avoir sous la main un éventail de propositions assez large pour satisfaire chacun. C'est aussi en n'aimant pas tel ou tel livre que l'on construit son goût !

Les deux Gredins 8+

A ROALD DAHL I QUENTIN BLAKE

Quentin Blake © Gallimard Jeunesse, 2007 [détail]

Voici le genre de petit roman qui a toutes les qualités pour faire entrer une bonne partie des jeunes dans les joies de la lecture ! Des chapitres courts qui peuvent aussi se lire comme des petites nouvelles (au moins pour les premiers chapitres), des personnages jubilatoires (deux vieux affreux, sales et méchants), de l'humour (noir), des illustrations qui accompagnent parfaitement le texte et, au final, une belle histoire. Celle de Compère et Commère Gredin, qui, s'ils se jouent les pires tours entre eux, n'hésitent pas à se réconcilier pour préparer leur tarte aux oiseaux. Jusqu'au jour où ils seront pris à leur propre piège. L'ouvrage est aujourd'hui un classique et un véritable Étalon-Or pour les petits romans faciles et agréables à lire. Une autre qualité de l'ouvrage, et non des moindres : permettre de découvrir l'univers de Roald Dahl. Si les jeunes y sont sensibles, ils pourront poursuivre leur exploration avec *Matilda, Charlie et la Chocolaterie* et bien d'autres, jusqu'aux nouvelles pour adultes. De surcroît, une partie des titres de Roald Dahl a été adaptée au cinéma ou à la télévision. On retrouve même l'histoire du *Coup de gigot* dans la série *Alfred Hitchkock présente !* Cet auteur est donc une véritable mine pour tous ceux qui veulent pouvoir conseiller des livres en étant sûrs de ne pas se tromper. Quand vous avez trouvé Roald Dahl et que l'enfant l'apprécie, vous êtes certain qu'il y aura toujours un texte qui conviendra exactement à l'envie du moment.

Gallimard Jeunesse (Folio Junior), 2007 (1980)
EAN 9782070614714 - 5,10 €

★ LE PLUS BEL ENDROIT DU MONDE 8+

Ⓐ ANN CAMERON Ⓘ THOMAS B. ALLEN

Les jeunes se sentent souvent concernés par les conditions de vie d'autres enfants peu favorisés et apprécient les histoires réalistes qui leur permettent d'appréhender la diversité du Monde. Situé au Guatemala, ce roman raconte les sentiments et le quotidien avec sa grand-mère et les autres enfants d'un petit cireur de chaussures qui rêve d'aller à l'école. Le récit est à la fois touchant et plein de joie de vivre, jamais mièvre ni larmoyant. L'écriture, au plus près des pensées du héros, est souvent poétique. Même s'il est parfois proposé en lecture par les enseignants et peut se trouver ainsi associé à une lecture obligatoire, le roman ne perd jamais de sa force, même dans le cadre scolaire. Les enfants qui aimeront ce livre apprécieront certainement plus tard *Mon bel oranger* de José Mauro de Vasconcelos.

École des loisirs (Mouche), 1991 (1990) - EAN 9782211031097 - 6 €

★ LA SORCIÈRE DE LA RUE MOUFFETARD ET AUTRES CONTES DE LA RUE BROCA 8+

Ⓐ PIERRE GRIPARI Ⓘ PUIG ROSADO

Encore un classique ! Mais après tout, il ne faut pas se priver des textes qui ont fait leurs preuves auprès de générations de lecteurs ! Ces contes de la rue Broca, d'un auteur resté célèbre pour ses histoires malgré une biographie et une œuvre plus complexes, ont une quarantaine d'années mais possèdent les qualités des contes les plus traditionnels… et sont donc aussi modernes qu'indémodables. Drôles, iconoclastes, inventives, ces histoires sont suffisamment variées pour que chaque lecteur y trouve son bonheur. On peut en piocher une ou deux au hasard ou les lire toutes à la suite. Quoi qu'il arrive, il y a fort à parier que chacun se souviendra longtemps de Monsieur Saïd, de Bachir et Nadia, de Monsieur Pierre et de ses histoires… et des sorcières, bien entendu !

Gallimard Jeunesse (Folio Junior), 2007 (1967)
EAN 9782070577071 - 5,70 €

Je voudrais un livre pour un enfant ou un jeune...

...qui commence à lire tout seul

★L'éléphant du magicien 9+

Ⓐ KATE DICAMILLO Ⓘ YOKO TANAKA

Il est rare de trouver dans la production actuelle un roman de facture à la fois classique mais efficace, bien écrit sans être trop complexe, doté d'une histoire forte et suffisamment prenante. Celui-ci appartient à cette catégorie et se trouve, de surcroît, agrémenté d'illustrations plutôt réussies. Que demander de plus ! Sans vouloir écraser l'auteure sous des références trop imposantes, il faut saluer son univers très inspiré de Dickens mais dans lequel elle a su insuffler une touche originale. Le lecteur suit avec plaisir le parcours, initiatique, de Peter, petit orphelin à la recherche de sa sœur. Magie et rebondissements sont au rendez-vous et on ne peut qu'être touché par cette histoire, à moins d'avoir un cœur de pierre ! Un bon début pour découvrir les autres titres de cette auteure !

Tourbillon, 2010 - EAN 9782848015217 - 11,95 €

★Mon je me parle 8+

Ⓐ SANDRINE PERNUSCH Ⓘ GINETTE HOFFMANN

Présenté comme un journal intime, un « Je me parle », le récit aborde toutes les questions existentielles mais aussi plus quotidiennes de Chloé, avec un ton très juste et réaliste. On pourrait croire à un journal réel ! Il est vrai que le procédé est assez ancien et parfois systématique ou gratuit, en particulier dans la littérature pour la jeunesse, mais tout l'intérêt de cet ouvrage tient dans la fraîcheur et la franchise de l'écriture. Et même si la couverture et le sujet semblent destiner ce petit roman davantage au lectorat féminin que masculin, on ne sait jamais : il faut toujours laisser traîner les livres. Il se pourrait, au final, que les préoccupations des garçons ne soient pas si éloignées de celles des filles. Après tout, certains tiennent aussi un journal intime, non ?

Casterman (Poche), 2011 (1988)
EAN 9782203033269 - 4,50 €

★ HITOIRES PRESSÉES 8+

Ⓐ BERNARD FRIOT

Ces histoires sont idéales pour les lecteurs qui préfèrent les textes (très, très) courts. De plus, il existe d'autres titres dans la même série. Entre l'exercice de style, l'histoire drôle et la petite nouvelle, chaque récit possède sa qualité propre. La force de Bernard Friot ? Arriver à créer tout un univers parfois simplement avec une seule phrase.

Milan Jeunesse (poche), 2007 (1995) - EAN 9782745926975 - 5,50 €

★ L'HOMME QUI LEVAIT LES PIERRES 9+

Ⓐ JEAN-CLAUDE MOURLEVAT

Jean-Claude Mourlevat est un conteur aussi à l'aise avec les romans de 400 pages que les histoires de quelques lignes. Il propose ici un troisième récit dans cette collection qui comprend des textes courts mais pas forcément dédiés aux plus jeunes. Un homme capable de soulever d'énormes pierres prend comme apprenti un garçon plutôt frêle. Mais faut-il imiter les autres ou trouver son propre don ?

Thierry Magnier (Petite poche), 2004 - EAN 9782844202895 - 5 €

★ 50 JOURS POUR DEVENIR PARFAITEMENT MÉCHANT 8+

Ⓐ IAN WHYBROW Ⓘ TONY ROSS

Voici les débuts de Petit loup (d'autres titres existent avec le même personnage) qui a bien du mal à correspondre à ce qu'on attend de lui et donc d'un vrai loup. Ce petit roman, très facile à lire, aborde la question de l'identité avec un ton humoristique parfaitement servi par les illustrations toniques de l'incontournable Tony Ross.

Casterman (poche), 2010 (1996) - EAN 9782203031685 - 5,50 €

★ RONYA, FILLE DE BRIGAND 9+

Ⓐ ASTRID LINDGREN

Un château coupé en deux par la foudre. D'un côté, Ronya, fille du brigand Mattis, de l'autre Rik, fils de Borka de la bande rivale. On ne peut pas dire qu'il y ait de l'amitié entre ces deux bandes. Seulement voilà, les enfants se rencontrent… et sympathisent. Idéal pour rêver et s'évader, par la créatrice de la célèbre Fifi.

Le Livre de Poche Jeunesse (Classique), 2009 (1981)
EAN 9782013226783 - 5,50 €

★ POCHÉE 9+

Ⓐ FLORENCE SEYVOS Ⓘ CLAUDE PONTI

Quand une auteure sensible retrouve l'un des plus grands illustrateurs pour la jeunesse, après le bel album La Tempête, *cela donne forcément de nouveau une merveille. L'histoire débute par un deuil difficile pour Pochée la tortue et se déploie dans le récit de son apprentissage pour l'autonomie et la liberté.*

École des loisirs (Mouche), 1997 - EAN 9782211044387 - 5,50 €

★ L'ŒIL DU LOUP 9+

Ⓐ DANIEL PENNAC Ⓘ CATHERINE REISSER

Tout en étant un auteur « pour adultes », Daniel Pennac a beaucoup écrit pour les enfants. Ce roman est l'une de ses belles réussites : il narre la rencontre entre un loup et un jeune garçon. Chacun découvre, dans l'œil de l'autre, ce qui les a amenés à se rencontrer et jette ainsi un regard humaniste sur le monde d'aujourd'hui.

Pocket (junior), 2002 (1984) - EAN 9782266120304 - 4,60 €

★ UNE SACRÉE MAMIE 8+

Ⓐ YOSHICHI SHIMADA Ⓘ SABURO ISHIKAWA

Même les plus rétifs à la lecture des mangas ne pourront qu'être emballés par celui-ci : il faut dire que le quotidien de cette grand-mère et de son petit-fils, dans le Japon rural des années 50, ne manque pas de charme ni de malice. Et s'ils ne possèdent pas grand-chose, l'entraide, la joie de vivre et la débrouillardise remplacent largement ce qui fait défaut.

Delcourt-Akata, 2009 - EAN 9782756015163 - 7,95 €

★ BABE : LE COCHON DEVENU BERGER 9+

Ⓐ DICK KING-SMITH Ⓘ MARY RAYNER

Est-on enfermé dans sa condition ou peut-on échapper à son Destin ? Pour se poser la question de l'inné et de l'acquis, du naturel et du culturel en lisant un roman passionnant plutôt qu'un énorme traité sur le sujet, rien de mieux que de se plonger dans l'histoire de Babe, le cochon-chien de berger ! Et on peut même commencer ou compléter la lecture avec le film tiré du livre.

Gallimard Jeunesse (Folio Junior), 2007 (1996) - EAN 9782070612680 - 5,70 €

Je voudrais un livre pour un enfant ou un jeune...

... qui commence à lire tout seul

★ Le voyage d'Oregon 9+

(A) RASCAL (I) LOUIS JOOS

Le merveilleux voyage initiatique d'un nain et d'un ours qui veut retrouver sa forêt. Une découverte de l'Amérique des exclus servie par une illustration flamboyante.

Pastel, 1993 (LP 1996) - EAN 9782211014489 - 14,50 €

★ Hatchiko, chien de Tokyo 8+

(A) CLAUDE HELFT

(I) CHEN JIANG HONG

La fidélité des chiens est bien connue. Celui-ci venait attendre son maître, chaque soir, à la gare de Shibuya, à Tokyo. Quand ce dernier mourut, le chien continua à venir pendant 10 ans. Une histoire véridique.

Picquier Jeunesse, 2005 (2003)
EAN 9782877308090 - 12 €

★ Le livre disparu 8+

(AI) COLIN THOMPSON

Pour les amoureux du détail dans le tableau, des indices à trouver, des labyrinthes à explorer, ce livre sera l'occasion de relectures inépuisables.

Circonflexe, 1996 - EAN 9782878331684 - 13,50 €

★ Fidèles éléphants 8+

(AI) YUKIO TSUCHIYA

Pendant la Guerre, lors des bombardements sur Tokyo, les autorités eurent peur que le zoo soit touché et que les animaux s'échappent. La solution trouvée ? Les abattre. Tous.

Les 400 coups, 2010 (2001) - EAN 9782895404613 -11,90 €

★ Tout est si beau à Panama : le voyage d'un petit tigre et d'un petit ours qui cherchaient Panama 9+

(AI) JANOSCH

Ah ! Panama ! C'est forcément mieux là-bas, non ? Encore faut-il connaître le chemin pour y arriver. Ce qui peut réserver quelques surprises. Réédition de l'album À Panama, tout est bien plus beau !

La Joie de lire, 2011 (Casterman 1984)
EAN 9782889080588 - 14 €

★ Lola 8+

(AI) OLE KÖNNECKE

Heureusement que Lola est là pour régler ces histoires de fantômes parce qu'il ne faut pas compter sur les adultes ! Un récit humoristique aux illustrations très « années 1930 ». Voir aussi Lola et les pirates.

École des loisirs (Mouche), 1999 - 2 vol.
1, Lola et le fantôme - EAN 9782211050777 - 7,50 €

★ Le singe et le crocodile 8+

(A) CATHERINE ZARCATE

Que feriez-vous si votre femme vous demandait le cœur de votre meilleur ami ? C'est le dilemme du crocodile dans ce texte qui fait « entendre » la voix d'une des plus grandes conteuses actuelles.

Syros Jeunesse (Paroles de conteurs), 2010
EAN 9782748509267 - 2,95 €

★ Je suis amoureux d'un tigre 8+

(A) PAUL THIÈS

Une belle rencontre, portée par un imaginaire poétique, entre deux enfants pris dans les problèmes que soulèvent les questions autour de l'adoption et de la différence.

Syros Jeunesse (Mini Syros roman), 2008 (1999)
EAN 9782748506525 - 2,95 €

★ Patte-Blanche 9+

(A) MARIE-AUDE MURAIL

(I) ANAÏS VAUGELADE

Ce récit, aux illustrations en noir et blanc puissantes et inquiétantes, n'est pas seulement pour les plus jeunes et résonne comme un conte venu du Moyen Âge : un enfant est né avec une patte de loup.

École des loisirs (Mouche), 2005
EAN 9782211078795 - 7 €

★ Cheffie 9+

(A) KAAT VRANCKEN

(I) MARTIJN VAN DER LINDEN

Une histoire à hauteur de chien (Cheffie est un teckel) qui joue sur la question du point de vue : ou comment la jalousie vous aveugle, même quand vous avez quatre pattes. Voir aussi Cheffie serre les dents.

La Joie de lire (Récits), 2009 - 2 vol.
EAN 9782882584960 - 2,95 €

★ Le métier de papa 9+

(A) RACHEL CORENBLIT

(I) NIKOL

Sur une question difficile, comment un enfant supporte l'incarcération de son père, l'auteure a réussi un roman vif, drôlc et juste. Et les illustrations ajoutent encore de l'énergie au tout.

Rouergue (ZigZag), 2009 - EAN 9782812600715 - 6 €

★ Jean l'impitoyable 9+

(A) FLORENCE SEYVOS

(I) PHILIPPE DUMAS

Conte ? Fable ? Critique sociale ? Impossible de classer ce roman mettant en scène un enfant qui refuse de se laisser embrigader. Les illustrations de Philippe Dumas y apportent encore plus d'ambiguïté par leur côté un peu désuet.

École des loisirs (Mouche), 2007
EAN 9782211087551 - 6,50 €

★ Prune et Rigoberto 9+

(A) ALEX COUSSEAU

(I) NATACHA SICAUD

Une première histoire d'amour sur fond de problèmes vécus par tous les enfants : la honte, la peur du regard des autres. Mais une rencontre peut donner la force de tout affronter. Y compris la piscine !

Rouergue (ZigZag), 2007 - EAN 9782841568048
6,50 €

★ Grand-père et les loups 9+

(A) PER OLOV ENQUIST

Une randonnée en montagne qui tourne mal : grand-père est blessé, que vont faire les enfants ? Un vrai petit roman, tout en tension, servi par l'écriture d'un grand auteur. Voir aussi La Montagne au trois grottes.

La Joie de lire (Récits), 2007 - 2 vol.
EAN 9782882584069 - 7,90 €

★ Il était deux fois le baron Lambert ou les mystères de l'île Saint-Jules 9+

(A) GIANNI RODARI

Idée de départ : un vieux Baron se met à rajeunir. Et voilà l'auteur, jamais à court d'imagination, qui s'en donne à cœur joie, multipliant les situations absurdes, les jeux de mots et clins d'œil jubilatoires.

La Joie de lire (Récits), 2007 (1978)
EAN 9782882584007 - 9,20 €

★ Le bal d'automne 9+

(A) RAMONA BADESCU

Venez retrouver l'univers de l'auteure de Pomelo *à travers son premier roman peuplé de personnages dignes du* Vent dans les Saules. *Une vraie réussite ! Voir aussi* Tristesse et Chèvrefeuille *de cette série* « Dans la forêt ».

Albin Michel Jeunesse, 2010
EAN 9782226209269 - 10 €

POURQUOI ÇA MARCHE ?

Un regard sur deux titres à succès

★ Tom-Tom et Nana 7+

Ⓐ JACQUELINE COHEN/EVELYNE REBERG
Ⓘ BERNADETTE DESPRÉS/MARYLISE MOREL

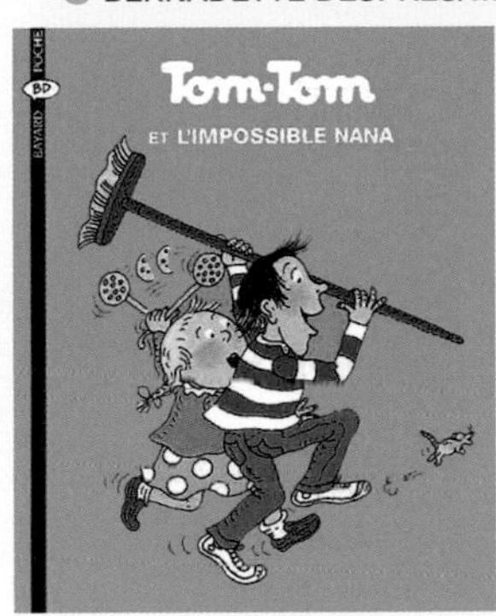

Quelle peut être la raison de cet engouement inconsidéré (depuis 1977 !) de tous les jeunes pour les facéties des enfants de la famille Dubouchon ! Et est-ce grave, docteur ? Non, rassurez-vous. Cela étant dit, on peut toujours essayer d'analyser le virus sans pourtant le combattre, ce qui serait d'ailleurs complètement vain. Néanmoins, la démarche est ardue car, si nous l'avons attrapé enfant, il nous est difficile de nous souvenir des symptômes une fois devenus adultes. Ces histoires ont la force des grandes séries ou des feuilletons : personnages bien identifiés, cadre posé et donc aussi connu que rassurant, attente concernant les bêtises des héros (ni trop graves, ni trop insignifiantes) ainsi qu'une illustration claire, efficace et immédiatement parlante. Bref... on ne sait toujours pas pourquoi ça marche, mais il y a du génie là-dessous.

Bayard Jeunesse, 2004 (1977) - 34 vol. - 1, Tom Tom et l'impossible Nana - EAN 9782747013796 - 6,90 €

★ Ainsi va la vie (Max et Lili) 8+

Ⓐ DOMINIQUE DE SAINT MARS Ⓘ SERGE BLOCH

Et voilà une autre bande dessinée qui enthousiasme les plus jeunes mais aussi, comme Tom Tom et Nana, certains ados qui aiment parfois s'y replonger. Même diagnostic que pour les Dubouchon ? En partie, mais il faut ajouter ici que la série est basée sur des questions intimes ou de société qui intéressent les jeunes au plus haut point. Avec leur aspect plus documentaire, ces récits mettent en scène les problèmes et apportent des pistes de réponses. Pour le petits oui ! Mais les jeunes ados ? Eh bien, il faut croire que personne d'autre ne leur a donné les réponses ou, c'est plus rassurant pour nous, qu'ils ont besoin de les vérifier une nouvelle fois !

Calligram, 1992 - 96 vol. - 1, Lili ne veut pas se coucher - EAN 9782884450362 - 4,90 €

Quoi qu'il en soit, ce type d'ouvrage, avec son effet « collection » et son art d'être au plus près de « moments » que vivent les jeunes, que ce soit sur l'envie répétitive de se rassurer avec le même genre d'histoires ou de trouver des réponses simples à des questions compliquées, a toute sa place dans un parcours de lecteur. Peu importe son âge.

REGARD CRITIQUE

Parmi les auteurs déjà cités, certains ont une œuvre conséquente et ont écrit pour des âges différents. Les jeunes aimeront peut-être les retrouver au fil du temps :
Roald Dahl, Marie-Aude Murail, Bernard Friot, Susie Morgenstern, Jean-Claude Mourlevat, Dick King-Smith, Kate DiCamillo, Florence Seyvos, Daniel Pennac, Paul Thiès, Rachel Corenblit, Alex Cousseau, Chen Jiang Hong, Astrid Lindgren, Gianni Rodari, Pierre Gripari.
Certains jeunes, entrés dans une dynamique de lecture, sont assez sensibles à l'effet « collection ». En voici quelques-unes :

- Gallimard Jeunesse : Folio Cadet Premières lectures, Folio Junior
- Nathan : Premiers Romans
- Bayard : J'aime lire, J'aime lire +, Mes premiers J'aime Lire

Voir également le volume 1 de **« Je cherche un livre pour un enfant, Le guide des livres pour enfants de la naissance à sept ans ».**

à FAIRE

N'hésitez pas à abonner vos jeunes lecteurs à des magazines. Les retrouvailles régulières sont importantes : J'aime lire - Je lis des histoires vraies - Astrapi - Je lis déjà - Mille et une histoires

Je voudrais un livre pour un enfant ou un jeune...

... qui commence à lire tout seul

Des séries à découvrir

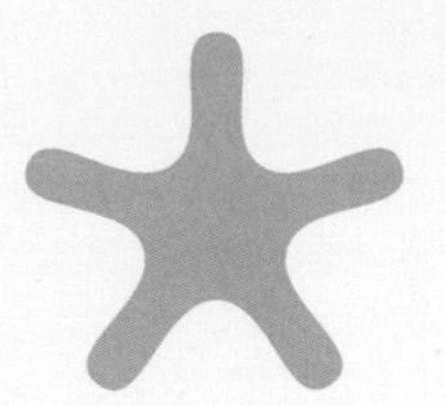

UNE PETITE SÉLECTION DE SÉRIES ORIGINALES À DÉCOUVRIR, de la Fantasy à l'aventure, en passant par l'humour et les grandes émotions. Certaines ont déjà un grand nombre de volumes derrière elles, d'autres commencent à peine : une bonne façon de faire son choix dans la diversité.

★ Le chat assassin 9+

Ⓐ ANNE FINE Ⓘ VÉRONIQUE DEISS

On l'accuse à tort, personne ne le comprend. Ce qui arrive, surtout si ce n'est pas brillant, n'est jamais vraiment de sa faute. Les fans de ce chat roublard et de si mauvaise foi pourront le retrouver avec plaisir dans trois autres histoires regroupées désormais dans une intégrale.

École des loisirs (Mouche), 2004 - 4 vol. - 1, Journal d'un chat assassin
EAN 9782211042871 - 7,50 €

★ Shola 9+

Ⓐ BERNARDO ATXAGA Ⓘ MIKEL VALVERDE

Après les chats, les amis des bêtes ne seront pas déçus avec les trois volumes de cette petite série mettant en scène une chienne bien sympathique et délurée. Et en plus elle sait lire ! Ce qui n'est peut-être pas une bonne nouvelle, tout compte fait…

La Joie de lire (Récits), 2009 (1999) - 3 vol. - 1, Shola et les lions
EAN 9782882584922 - 6,80 €

★ Les dragons de Nalsara 8+

Ⓐ MARIE-HÉLÈNE DELVAL Ⓘ ALBAN MARILLEAU

Pour une première « entrée » dans la Fantasy, cette série construite autour de deux enfants dont le père élève des dragons est très agréable. Il faut dire que nous avons affaire ici à une auteure chevronnée qui sait mener intrigue et rebondissements.

Bayard Jeunesse, 2008 - 13 vol. - 1, Le troisième œuf
EAN 9782747026246 - 4,90 €

★ Moomin 8+

Ⓐⓘ TOVE JANSSON

Quelle joie de se plonger dans l'univers si particulier des Moumines créés par Tove Jansson en 1948 ! Ceux qui seraient touchés par ces personnages uniques pourront les retrouver dans les bibliothèques qui ont gardé les premiers romans traduits depuis 1968 ou réédités (et retraduits) en 2005 par Nathan et déjà épuisés. Heureusement que les éditions du Petit Lézard éditent ces BD, un roman et des livres de cuisine et que P'tit Glénat propose aussi quelques albums !

Le Petit Lézard, 2008 - 5 vol. - 1, Moomin et les brigands
EAN 9782353480012 - 19 €

★ L'école des massacreurs de dragons 8+

Ⓐ KATE McMULLAN Ⓘ BILL BASSO

Dans le style humoristique et décalé propre à un certain courant de la Fantasy, cette série s'amuse de tous les ressorts du genre et des possibilités que peut donner le cadre d'une école de massacreurs de dragons.

Gallimard Jeunesse (Folio Cadet), 2002 - 18 vol.
1, Le nouvel élève - EAN 9782070536542 - 6,10 €

★ La rivière à l'envers 10+

Ⓐ JEAN-CLAUDE MOURLEVAT

Ce n'est pas vraiment une série (il n'y a que deux volumes !) mais ça vaut la peine de tricher un peu pour parler ici de ces deux très beaux romans (surtout le premier) qui revisitent les contes des mille et une nuits, les légendes du monde entier et qui sortent pourtant de l'imagination débridée de l'auteur. C'est aussi (surtout ?), une magnifique histoire d'amour.

Pocket Jeunesse, 2009 - 2 vol. - 1, Tomek - EAN 9782266200462 - 5,60 €

★ Apolline 8+

Ⓐⓘ CHRIS RIDDELL

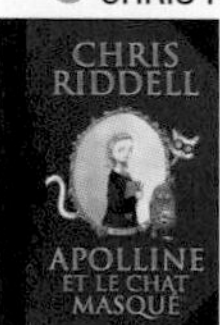

Début d'une série qui promet (il faut dire que Chris Riddell n'en est pas à son coup d'essai), ce roman installe avec brio le personnage d'Apolline, petite enquêteuse évoluant dans un monde un peu déjanté. Le mélange subtil et harmonieux des illustrations et du texte, qui se complètent parfaitement, fait beaucoup pour la réussite de la série. Mais les intrigues ne sont pas en reste !

Milan Jeunesse, 2008 - 3 vol. - 1, Apolline et le chat masqué
EAN 9782745933959 - 11,50 €

★ Les mousquetaires de Belleville 8+

Ⓐ STÉPHANE DANIEL

Les personnages de ce premier roman étaient tellement attachants que l'auteur a souhaité donner une suite à leurs aventures. Et c'est tant mieux. Les péripéties de cette petite bande dans le quartier de Belleville sont parfaitement menées et agréables à lire. Ce sera un bon premier tremplin pour des romans policiers plus costauds.

Casterman (Romans junior), 2005 (1995) - 4 vol.
1, Un tag pour Lisa - EAN 9782203130487 - 6,75 €

★ LE PROFESSEUR SÉRAPHIN 9+

Ⓐ JO NESBØ Ⓘ GEORGIAN OVERWATER

Le titre du premier volume annonce tout de suite la couleur : on ne va pas faire dans la dentelle. Mais le récit mérite tout de même qu'on s'y attarde tant il correspond aussi à une envie de lecteur à un certain moment. Et il n'y a pas de mal à se faire du bien, c'est un vrai déclencheur de lecture.

Bayard Jeunesse, 2009 - 2 vol. - 1, La poudre à prout du Professeur Séraphin
EAN 9782747027557 - 12,90 €

★ CHRONIQUES DE LIPTON-LES-BAVEUX 9+

Ⓐ ANDY STANTON Ⓘ DAVID TAZZYMAN

Dans une veine un peu similaire, cette série fera la joie des adeptes de la série précédente. Cela peut aussi constituer un passage intermédiaire après Les deux gredins.

Bayard Jeunesse, 2009 - 6 vol. - 1, L'abominable monsieur Schnock
EAN 9782747027243 - 5,20 €

★ KURT 10+

Ⓐ ERLEND LOE Ⓘ KIM HIORTHOY

Si l'on reste dans l'humour, celui de cette série norvégienne (déjà tout un programme !) est beaucoup plus ironique et décalé. Ce mélange d'absurde et de critique sociale est assez décapant et le tour du Monde de Kurt et de sa famille invite à une remise en cause de notre société, l'air de rien. Les illustrations, quant à elles, plantent une ambiance saisissante en quelques traits.

La Joie de lire (Récits), 2006 - 5 vol. - 1, Kurt et le poisson
EAN 9782882584427 - 7,50 €

★ MADEMOISELLE ZAZIE 7+

Ⓐ THIERRY LENAIN Ⓘ DELPHINE DURAND

Mademoiselle Zazie est une drôle de fille : elle fait tout comme les garçons ! Mais qu'est-ce que ça veut dire, d'ailleurs, faire comme un garçon ? Avec cette série humoristique et très facile à lire, l'auteur aborde la question du « genre » avec des histoires du quotidien : une manière simple et amusante de s'attaquer aux clichés.

Nathan (premiers romans), 2011 (2009) - 5 vol.
1, Mademoiselle Zazie a-t-elle un zizi ? - EAN 9782092524022 - 5,50 €

★ UNE AVENTURE DE MLLE CHARLOTTE 8+

Ⓐ DOMINIQUE DEMERS Ⓘ TONY ROSS

Les récits ayant pour cadre l'école sont innombrables ! Raison de plus pour signaler ce titre plutôt réussi et gentiment iconoclaste qui met en scène une maîtresse qu'on aurait bien aimé avoir en classe. Dans la suite de la série, Mlle Charlotte, toujours bondissante et imprévisible, s'essaie à d'autres métiers avec autant de maladresse que d'enthousiasme.

Gallimard Jeunesse (Folio Cadet), 2003 - 7 vol. - 1, La nouvelle maîtresse
EAN 9782070552955 - 5,70 €

★ RUBY ROGERS 8+

Ⓐ SUE LIMB Ⓘ BERNICE LUM

Petits secrets, grandes questions, engouements aussi intenses que passagers : tel est le quotidien de Ruby, petite fille espiègle dans laquelle beaucoup se reconnaîtront. Sue Limb est une des « spécialistes » des « questions de filles ». Les fans passeront certainement ensuite à ses séries pour les plus âgées.

Gallimard Jeunesse (Folio Cadet), 2007 - 9 vol.
1, Ruby Rogers : mon plan secret - EAN 9782070612161 - 6,10 €

★ SARAH LA PAS BELLE 9+

Ⓐ PATRICIA MACLACHLAN Ⓘ QUENTIN BLAKE

Les États-Unis au temps des pionniers. Jacob est veuf et père de deux enfants. Comment retrouver une femme quand on vit dans une ferme isolée ? Il passe une annonce : Sarah, qui se dit laide, y répond. Va-t-elle rester ? Cette histoire aux échos de « petite maison dans la prairie » *plaira aux lecteurs qui n'ont pas peur d'être émus par un livre. À conseiller à la place de* « L'amour est dans le pré ».

Gallimard Jeunesse (Folio Cadet), 2004 (1990) - 5 vol. - 1, Sarah la pas belle
EAN 9782070557806 - 8,10 €

★ AKIMBO 8+

Ⓐ ALEXANDER McCALL SMITH Ⓘ PETER BAILEY

Akimbo est le fils du gardien d'une réserve africaine. C'est l'occasion pour lui (et pour le lecteur, par la même occasion !) de découvrir la vie des animaux à travers des aventures qui mélangent action et émotion. Les adultes qui s'amuseront de cette série bon enfant pourront découvrir son auteur sous un autre aspect avec les aventures de Mme Ramotswe, détective au Botswana.

Gallimard-Jeunesse (Folio Cadet), 2006 - 5 vol. - 1, Akimbo et les éléphants
EAN 9782070573479 - 5,70 €

★ MANOLITO 9+

Ⓐ ELVIRA LINDO Ⓘ EMILIO URBERUAGA

À travers la « Grande encyclopédie de sa vie » Manolito raconte son quotidien du haut de ses 8 ans. Que les petites scènes vécues soient drôles ou plus tristes, elles sont toujours justes car l'auteure a réussi à se mettre complètement dans la peau de « Manolito le binoclard ». Une manière de découvrir aussi une enfance madrilène… semblable à toutes les enfances !

Gallimard Jeunesse (Folio Junior), 2009 (1997) - 5 vol. - 1, Manolito
EAN 9782070628865 - 6,10 €

★ LE PETIT NICOLAS 9+

Ⓐ RENÉ GOSCINNY Ⓘ SEMPÉ

Toujours imitées mais jamais égalées (même dans leur adaptation cinématographique) les aventures du Petit Nicolas restent bien vivaces autant grâce à la verve de Goscinny qu'au trait de Sempé. On peut les lire et relire à tout âge : comme avec Astérix, on n'en finit pas, même adulte, de découvrir une allusion ou un jeu de mots qui nous avaient échappé.

Gallimard Jeunesse (Folio Junior), 2007 (1960) - 5 vol. + Histoires inédites
1, Le Petit Nicolas - EAN 9782070612765 - 6,10 €

...qui est à l'aise avec la lecture

UNE FOIS QUE L'ON A ATTRAPÉ LE GOÛT DE LIRE, QUE LES PETITS TEXTES COURTS SE LISENT TROP VITE ET QUE L'ON SAIT À PEU PRÈS CE QUE L'ON AIME COMME HISTOIRES, VERS QUELS TITRES PEUT-ON SE TOURNER ? **Cette partie propose quelques pistes de lectures « intermédiaires », dans le prolongement de celles évoquées dans la partie précédente et avant celles pour les lecteurs plus confirmés. Là encore, il faut prendre ces propositions comme des repères possibles servant à faire son propre parcours plutôt que des titres de référence à lire absolument ! Vous retrouverez donc, dans cette sélection, des offres pouvant intéresser tous les publics, des thèmes du quotidien aux histoires imaginaires, mais surtout une proposition de textes classiques ou inclassables. C'est le bon moment, pour le lecteur en construction, de commencer à découvrir par lui-même des histoires qu'il a peut-être déjà approchées à travers leur adaptation au cinéma ou la télévision. Et de poser des jalons pour des lectures futures !**

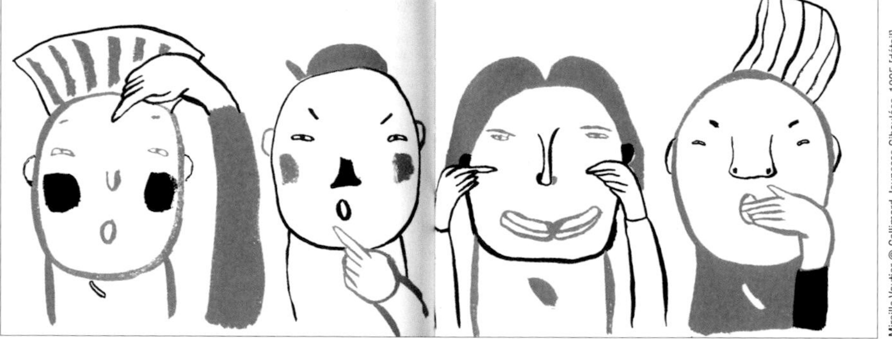

Mireille Vautier © Gallimard Jeunesse Giboulées, 1995 [détail]

365 contes pour tous les âges 10+

Ⓐ MURIEL BLOCH Ⓘ MIREILLE VAUTIER

Sous la forme d'un épais agenda, ce recueil de contes est une aubaine aussi bien pour les adultes que pour les jeunes qui veulent découvrir des contes de tous genres et de toutes tailles. À chaque jour, une histoire (certaines histoires courent sur plusieurs jours) : il est donc possible de se créer un rendez-vous de lecture quotidien pendant une année ! Et si ce n'est pas suffisant, Muriel Bloch a pensé à tout puisqu'il existe d'autres titres sur le même principe (*365 contes : en ville/des pourquoi et des comment/de la tête aux pieds*. On trouve également dans la collection : *365 contes de gourmandise*, proposés, cette fois, par la célèbre Luda). L'auteure est une véritable conteuse que les passionnés, et les autres, peuvent entendre depuis des années lors de festivals ou de soirées autour du conte. Aucun souci à se faire, donc, sur le choix des histoires et leur transcription de l'oral à l'écrit (et inversement). Vous pourrez même vous lancer dans le « racontage » si le cœur vous en dit : impossible de ne pas trouver ici une histoire qui vous parle et que vous pourrez mettre en bouche ! En attendant de vous lancer, le recueil garde tout son intérêt dans une lecture plus traditionnelle, d'autant qu'il est illustré de manière vive, enjouée et colorée par Mireille Vautier. C'est l'ouvrage parfait pour ceux qui ont déjà pris goût aux histoires courtes mais denses, aux chutes percutantes et aux intrigues malignes et qui en veulent encore.

Gallimard Jeunesse (Giboulées), 1995 (1985)
EAN 9782070588138 - 20 €

★ LE FILS DE BELLE PRATER 10+

Ⓐ RUTH WHITE

Nous sommes dans l'Amérique des années 50. Belle Prater a, un jour, disparu sans laisser de traces. Son fils, Woodrow, élevé par ses grands-parents, est un garçon étrange. La relation qu'il entretient avec Gipsy, sa cousine, est faite de surprises, de complicité et de tendresse. On pourrait craindre que l'intrigue de ce livre soit quelque peu surannée mais il s'en dégage une telle ambiance à la fois de mystère (qu'est devenue Belle ?) et de finesse dans les relations (le taciturne Woodrow est plus intelligent et subtil qu'il ne le laisse paraître) que le tout semble intemporel et peut parler à chacun. Comment gérer l'absence d'une mère ? Comment grandir, entre réel et imaginaire ? Le roman effleure des réponses grâce à ses personnages attachants et à la force de son écriture.

Thierry Magnier (Roman), 2010 (Hachette 1997) - EAN 9782844207999 - 10,50 €

★ TOO MUCH 10+

Ⓐ ELLEN POTTER

Si l'auteure n'a rien à voir avec le fameux Harry qui porte le même nom qu'elle, elle n'en est pas moins une magicienne, mais de l'écriture. Elle réussit en effet à mêler, au cœur d'un récit assez caustique et amusant, une critique des classes sociales, un regard sur le monde factice de la jet-set et une réflexion sur la place des enfants dans notre société, le tout enrobé d'une intrigue mâtinée de Fantastique. Mais le roman n'a rien de didactique, bien au contraire ! Le talent de l'auteure consiste à faire ressentir les effets de ces problèmes ô combien sérieux par des situations décalées, dynamisées par des personnages hauts en couleur. Pas de grands discours ! Il s'agit bien là d'un vrai roman ! Les amoureux du genre poursuivront avec *Olivia Kidney et l'étrange maison de l'au-delà.*

Seuil Jeunesse (Chapitre), 2008 (2006)
EAN 9782020975124 - 8,50 €

Je voudrais un livre pour un enfant ou un jeune...

... qui est à l'aise avec la lecture

★ Le temps des miracles 11+

Ⓐ ANNE-LAURE BONDOUX

Il est impossible de ne pas trouver au moins un roman d'Anne-Laure Bondoux à son goût ! D'abord parce que cette auteure arrive à saisir le style et le ton juste pour chaque ambiance qu'elle met en place dans ses histoires et ensuite parce qu'elle explore, à chaque nouveau roman, une atmosphère différente. Vous ne pourrez donc pas y échapper. Et ce *Temps des miracles* en est vraiment un, de miracle : vivacité de l'action, drôlerie, suspense et rebondissements. Pourtant, l'histoire n'est *a priori* pas des plus gaies. Arrivé frauduleusement en France, Blaise est confronté à la dure réalité alors qu'il poursuit la quête de ses origines : il recherche sa mère, française, qui l'aurait confié dans le Caucase, après un accident, à celle qui l'a élevé. Mais qu'en est-il vraiment ? Une manière passionnante de revisiter la question de « l'identité nationale ».

Bayard Jeunesse (Millezime), 2009
EAN 9782747026451 - 11,90 €

★ Le vent dans les saules 10+

Ⓐ KENNETH GRAHAME

Le classique indépassable du roman animalier ! Rat, Taupe, Blaireau et Crapaud prennent le temps de vivre et de profiter de la nature, même si Crapaud a une légère tendance à développer des idées moins « tranquilles ». Publié sous de nombreuses formes, dont, pour n'en citer que deux, une version illustrée par Inga Moore chez Pastel et la série de bandes dessinées créée par Michel Plessix chez Delcourt, le roman a fait également l'objet de nombreuses adaptations télévisuelles, théâtrales et cinématographiques (dont une par les membres des Monty Pythons !). Cette ambiance contemplative parlera-t-elle encore aux jeunes d'aujourd'hui ? S'ils ont été bercés par les histoires de Ranelot et Bufolet d'Arnold Lobel, il y a des chances, sinon, c'est un pari à faire, de toutes façons. Et il risque d'être gagné.

Phébus (Libretto), 2001 (1908)
EAN 9782752905444 - 9 €

★ Momo 10+

Ⓐ MICHAEL ENDE

Michael Ende est connu pour avoir écrit L'Histoire sans fin, *adapté au cinéma par la suite. Moins connu,* Momo, *adapté lui aussi en film, est un merveilleux roman sur notre société actuelle (il a pourtant près de 40 ans !) et la course contre le temps. Momo est un personnage qui nous marque.*

Bayard (Estampille), 2009 (1984, édition originale 1972)
EAN 9782747024693 - 13,90 €

★ À la vie, à la... 10+

Ⓐ MARIE SABINE ROGER Ⓘ FRANÇOIS ROCA

Atteint d'une maladie incurable, un jeune garçon et son entourage apprennent à accepter la fin inéluctable. Le récit avance au gré des aléas de la maladie, des résistances et des abandons. L'auteure a choisi une langue poétique pour décrire l'indicible, inventant des mots, créant des situations oniriques où le jeu est souvent présent ce qui donne, au final, davantage une impression de paix que de tristesse.

Nathan (11 ans et + C'est la vie !), 2005 (1998) - EAN 9782092506745 - 4,95 €

★ L'enfant océan 10+

Ⓐ JEAN-CLAUDE MOURLEVAT

Tout le monde connaît l'histoire du Petit Poucet ? Tant mieux, car en voici une version contemporaine, écrite comme un fait divers et racontée par quatre personnages différents. Mais chacun ne peut dire que ce qu'il a vu et il faudra entendre le récit de tous pour savoir où sont désormais le petit et ses six frères.

Pocket Jeunesse, 2010 (1999) - EAN 9782266203227 - 4,70 €

★ Le vieux fou de dessin 10+

Ⓐⓘ FRANÇOIS PLACE

Quand Tojiro, petit vendeur de gâteaux, rencontre le Vieux fou (c'est ainsi que certains le surnomment), il ne sait pas encore qu'il est en face du grand dessinateur japonais Hokusai. Fasciné par le vieil homme, il va commencer son initiation. François Place alterne avec bonheur ses propres illustrations et les reproductions d'Hokusai tout en distillant sans pesanteur des informations sur la gravure et le Japon du XIXe siècle.

Gallimard Jeunesse, 2001 (1997) (LP Folio, 5,70 €, 2009) - EAN 9782070548422 - 16 €

★ Mon bel oranger 11+

Ⓐ JOSÉ MAURO DE VASCONCELOS

Devenu aujourd'hui un classique, ce roman, inspiré de la vie de l'auteur, brésilien, garde encore tout son intérêt pour qui le découvrirait de nos jours ou le relirait. Dans la veine réaliste des romans mettant en scène un regard d'enfant sur sa propre condition difficile, celui-ci reste une référence et le petit Zézé, quant à lui, est inoubliable.

Le Livre de Poche Jeunesse, 2007 (1971) - EAN 9782013224154 - 5,50 €

★ Les ombres de Ghadamès 10+

Ⓐ JOËLLE STOLZ

Malika, 12 ans, vit parmi les femmes, à Ghadamès, dans cette Libye du XIXe siècle. Mais un jour, les femmes accueillent un homme blessé. Il ne faut pas que les hommes le découvrent, et surtout pas le père de Malika. Un roman très attentif à l'ambiance et aux non-dits entre les personnages. La suite, Loin de Ghadamès, *n'est plus disponible.*

Bayard, 2002 - EAN 9782227739086 - 11,50 €

★ Balles de flipper 11+

Ⓐ BETSY BYARS

Deux garçons et une fille qui ne se connaissent pas se retrouvent dans la même famille d'accueil. Froideur et hostilité sont la norme entre eux, jusqu'à ce que l'un des garçons commence à sombrer. Même si Betsy Byars est moins à la mode aujourd'hui, il suffit de (re)lire un de ses romans pour se rendre compte que c'est une grande auteure.

Flammarion (Castor), 2011 (1984) - EAN 9782081253803 - 7,50 €

★ La rencontre : L'histoire véridique de Ben MacDonald 11+

Ⓐ ALLAN WESLEY ECKERT

Parue aux États-Unis en 1971, il aura fallu attendre presque 30 ans pour que cette histoire inspirée de faits réels arrive jusqu'à nous. En 1870, Ben, 6 ans, se perd lors d'un orage et va être recueilli par une mère blaireau. Le petit garçon, qui était déjà plus proche des animaux que des humains, s'habitue à la situation pendant que la famille espère son retour. Un récit étonnant et émouvant.

Hachette Livre, 2007 (2000) - EAN 9782013224253 - 4,90 €

★ La tribu 11+

Ⓐ ANNE-LAURE BONDOUX

Paru initialement en trois volumes sous le titre générique Le peuple des rats, *le roman conte les combats pour leur survie de Vasco, le jeune rat, et des siens. À la fois roman d'aventure, fresque aux accents bibliques et regard sur notre société, le récit, haletant et prenant, se lit d'une traite. Un très bon roman animalier.*

Bayard Jeunesse (Estampille), 2005 (2001) - 3 vol.
EAN 9782747016346 - 11,90 €

Je voudrais un livre pour un enfant ou un jeune…

…qui est à l'aise avec la lecture

quelques classiques de la littérature pour la jeunesse ou classiques tout court

★ Peter Pan 11+

(A) JAMES MATTHEW BARRIE

Tout le monde connaît Peter Pan, mais qui a vraiment lu le roman ? Surprises garanties dans ce texte qui dynamite davantage les conventions que bien des romans contemporains. À découvrir aussi l'adaptation en bande dessinée de Régis Loisel.

Gallimard Jeunesse, (Folio Junior), 2009 (1911)
EAN 9782070628933 - 6,70 €

★ Peter Pan dans les jardins de Kensington 11+

(A) JAMES MATTHEW BARRIE
(I) ARTHUR RACKHAM

Extrait d'un roman méconnu de l'auteur, Le Petit oiseau blanc, *ce texte, disponible également aux éditions Corentin, décrit l'enfance de Peter Pan. Il est aussi remarquable pour ses illustrations.*

Terre de Brume, 2010 - EAN 9782843624353 - 39 €

★ Le magicien d'Oz 10+

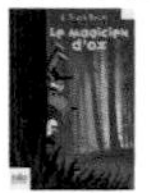

(A) LYMAN FRANCK BAUM

« Somewhere over the rainbow » chante Judy Garland dans le film de Victor Fleming. Mais bien avant cela, il y avait le livre qui est, lui aussi, toujours aussi enchanteur. À signaler, l'adaptation de David Chauvel en bande dessinée chez Delcourt avec des illustrations très rythmées d'Enriquez.

Gallimard Jeunesse (Folio Junior), 2009 (1931)
EAN 9782070626090 - 6,10 €

★ Les aventures d'Alice au pays des merveilles 10+

(A) LEWIS CARROLL

Qu'Alice soit au pays des merveilles *ou* De l'autre côté du miroir, *elle emmène avec elle le lecteur dans l'univers du fantastique et de l'absurde. Indémodable et à apprécier aussi dans ses versions illustrées, notamment celles d'Arthur Rackham et de John Tenniel, pour les plus classiques.*

Gallimard Jeunesse (Folio Junior), 2009 (1865)
EAN 9782070628889 - 5,70 €

★ Mary Poppins 10+

(A) PAMELA LYNDON TRAVERS

On découvre une Mary Poppins plus complexe et moins chantante que Julie Andrews chez Walt Disney, mais pas moins intéressante. Dommage que les suites (à part Le retour de Mary Poppins, *paru en 2010 aux éditions du Rocher) ne soient plus disponibles.*

Le Livre de Poche Jeunesse, 2008 (1934)
EAN 9782013226486 - 5,50 €

★ Le livre de la jungle 10+

(A) RUDYARD KIPLING

Composé de sept nouvelles (il y en a huit dans Le second livre de la jungle*) le texte peut se lire autant de manière symbolique que comme une simple aventure humaine au plus près de la nature. À voir, une très belle édition en bois gravé de May Angeli aux éditions du Sorbier.*

Flammarion Jeunesse 2011 (1894)
EAN 9782081263246 - 5,50 €

★ Pinocchio 11+

(A) CARLO COLLODI
(I) JEAN-MARC ROCHETTE

Cette nouvelle traduction, plus fidèle au texte original, donne à lire toute la richesse du personnage inventé par Collodi. L'illustrateur, venu de la bande dessinée, apporte aussi un autre regard.

Casterman (Epopée), 2002 (1881)
EAN 9782203163454 - 9 €

★ Le merveilleux voyage de Nils Holgersson à travers la Suède 11+

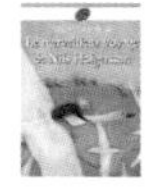

(A) SELMA LAGERLÖF

À l'origine livre de géographie destiné aux élèves, ce texte a dépassé de loin les objectifs de sa commande pour devenir un classique. Les audacieux se lanceront dans la version intégrale parue chez Actes Sud.

Le Livre de Poche Jeunesse, 2008 (1906-1907)
EAN 9782013225465 - 5,50 €

★ Le petit lord Fauntleroy 10+

(A) FRANCES HODGSON BURNETT

Bon sang ne saurait mentir : c'est par ses qualités et son éducation que le petit Cédric prouvera à son grand-père qu'il est un vrai Lord anglais. Un classique du genre.

Le Livre de Poche Jeunesse, 2008 (1886)
EAN 9782013223201 - 5,50 €

★ Sa majesté des mouches 12+

(A) WILLIAM GOLDING

La dérive violente d'une bande d'enfants livrés à eux-mêmes après un accident d'avion. Un texte très dur plusieurs fois adapté au cinéma et au théâtre qui continue d'interroger notre humanité.

Gallimard Jeunesse (Folio Junior), 2007 (1954)
EAN 9782070612598 - 7,70 €

★ Les quatre filles du docteur March 12+

(A) LOUISA MAY ALCOTT

La vie quotidienne de quatre sœurs, filles de pasteur (devenu docteur par les surprises de la traduction) pendant la guerre de Sécession alors que leur condition sociale se dégrade et que leur père est absent.

Le Livre de Poche Jeunesse, 2008 (1868)
EAN 9782013227476 - 4,90 €

★ La case de l'oncle Tom 12+

(A) HARRIET BEECHER STOWE

Même si l'on peut critiquer aujourd'hui certains stéréotypes véhiculés par le livre, il ne faut pas oublier que ce roman soutenait la cause anti-esclavagiste. L'histoire reste prenante malgré la distance.

Le Livre de Poche (Classiques), 1995 (1852)
EAN 9782253037910 - 6,75 €

★ Les voyages de Gulliver 12+

(A) JONATHAN SWIFT

Les bons lecteurs pourront choisir les versions intégrales mais plusieurs éditions pour la jeunesse, abrégées, n'enlèvent rien à la saveur de ces histoires aussi satiriques qu'imaginatives.

Le Livre de Poche Jeunesse, 2007 (1726)
EAN 9782013212878 - 4,90 €

★ Les malheurs de Sophie 9+

(AI) SOPHIE ROSTOPCHINE, COMTESSE DE SÉGUR

Les facéties de Sophie sont entrées dans l'imaginaire collectif depuis longtemps avec Le bon petit diable *ou* Les petites filles modèles. *Et pourtant, on continue à vouloir les lire !*

Le Livre de Poche Jeunesse, 2007 (1858)
EAN 9782013225434 - 5,50 €

★ Les aventures de Tom Sawyer 12+

(A) MARK TWAIN

Toute une génération a découvert les facéties de Tom grâce au dessin animé japonais. Il est donc grand temps de revenir à « l'énergumène » d'origine. Plusieurs traductions existent, dont une parue chez Tristram en 2008 qui est à signaler. Voir aussi Les aventures de Huckleberry Fin.

Le Livre de Poche Jeunesse, 2008 (1876)
EAN 9782013226554 - 5,50 €

★ Barbe-bleue 9+

(A) CHARLES PERRAULT
(I) MAURIZIO A. C. QUARELLO

Le célèbre conte de Charles Perrault est ici accompagné par l'univers inquiétant d'un illustrateur contemporain des plus intéressants.

Milan Jeunesse (Albums classiques), 2010
EAN 9782745944047 - 16,50 €

... qui est à l'aise avec la lecture

★ VOIR AUSSI

★ **Antigone** 10+
Ⓐ ADAPTATION JACQUES CASSABOIS
Le Livre de Poche Jeunesse, 2009
EAN 9782013228091 - 4,90 €

★ **Contes des mille et une nuits** 10+
Ⓐ ADAPTATION AYYAM SUREAU
École des loisirs (Neuf), 2005 - 2 vol.
EAN 9782211078597 - 8 €

★ **Contes de Shakespeare** 11+
Ⓐ CHARLES ET MARY LAMB Ⓘ JOËLLE JOLIVET
Naïve, 2005 - EAN 9782350210209 - 22 €

★ **Le voyage d'Ulysse** 10+
Ⓐ ADAPTATION LORRIS MURAIL
Pocket Jeunesse, 2005 - EAN 9782266145824 - 6,60 €

★ **Gargantua** 10+
Ⓐ ADAPTATION DE CHRISTIAN POSLANIEC D'APRÈS FRANÇOIS RABELAIS
Ⓘ LUDOVIC DEBEURME
Milan Jeunesse, 2004 - EAN 9782745902023 - 16,50 €

★ **Tristan et Iseut : jamais l'un sans l'autre** 10+
Ⓐ ADAPTATION JACQUES CASSABOIS
Le Livre de Poche Jeunesse (Classique), 2010
EAN 9782013228770 - 6,50 €

★ **Le Golem** 9+
Ⓐ ADAPTATION ANNE JONAS Ⓘ RÉGIS LEJONC
Nathan (Album Nathan contes et légendes), 2010
EAN 9782092516058 - 17,90 €

★ **Orphée et la morsure du serpent** 9+
ⒶⒾ YVAN POMMAUX
École des loisirs (Album), 2009 - EAN 9782211094962 - 18,50 €

★ **Gargantua et Pantagruel** 12+
Ⓐ ADAPTATION MICHEL LAPORTE D'APRÈS FRANÇOIS RABELAIS
Le Livre de Poche Jeunesse (Classique), 2009
EAN 9782013227933 - 4,90 €

★ **Le Horla** 12+
Ⓐ GUY DE MAUPASSANT
Ⓘ ANNA ET ELENA BALBUSSO
Milan Jeunesse (Albums classiques), 2010
EAN 9782745946706 - 16,50 €

... qui est à l'aise avec la lecture

★ à voir en bibliothèque

★ **Peter Pan**
Ⓐ JAMES MATTHEW BARRIE Ⓘ SUSANNE JANSSEN
Être Editions (Grande collection), 2005

Il existe de belles éditions illustrées pour découvrir Peter Pan. Parmi les plus originales, il faut signaler celle de Susanne Janssen qui rend justice à l'ambiguïté de l'histoire et des personnages dans un grand ouvrage à lire sur un lutrin.

... qui est à l'aise avec la lecture

★ collections

Quelques collections qui proposent des versions abrégées ou adaptées pour découvrir les grandes figures de la littérature mondiale.

Si vous choisissez de « plonger » votre enfant dans les textes du patrimoine afin qu'il puisse les connaître assez tôt, il s'agit de repérer ce qui vous semble le plus important dans ce que vous voulez transmettre :

- les textes abrégés, comme leur nom l'indique, sont coupés afin d'être moins longs et plus aisés à lire mais vous ne perdez pas (ou moins) le style de l'auteur.
- les textes adaptés sont une réécriture complète : c'est l'histoire qui prime, mais le style est celui de l'adaptateur.

Comparez donc les versions (ou demandez conseil) pour choisir les textes qui trahissent le moins l'original et répondent le mieux à vos objectifs.

★ **Le roman de Renart** 10+
Ⓐ ADAPTATION PIERRE CORAN
Ⓘ PASCAL LEMAÎTRE
Casterman (Epopée), 2007 - EAN 9782203006386 - 7 €

★ **Le récit de Gilgamesh : l'homme qui partit en quête de la vie sans fin** 11+
Ⓐ ADAPTATION STÉPHANE LABBE
École des loisirs (Classiques abrégés), 2010
EAN 9782211096034 - 5 €

★ **Ariane contre le Minotaure** 9+
Ⓐ ADAPTATION MARIE-ODILE HARTMANN
Nathan (Histoires noires de la Mythologie), 2004
EAN 9782092826256 - 5,25 €

★ **Les enchantements de Merlin** 10+
Ⓐ ADAPTATION FRANÇOIS JOHAN
Ⓘ NATHAËLE VOGEL
Casterman (Épopée), 2006 - 5 vol.
(« Les Chevaliers de la Table Ronde »)
EAN 9782203031661 - 5,25 €

★ **Les trois mousquetaires** 11+
Ⓐ ALEXANDRE DUMAS, ADAPTATION BERNARD NOËL
École des loisirs (Classiques abrégés), 1981
EAN 9782211080521 - 5,50 €

Regard critique

Les adultes que nous sommes devraient éviter de juger une lecture d'enfant (trop) à l'aune de leur regard de lecteur qui a déjà un parcours littéraire (et de vie) derrière lui.

Faites l'expérience, quand vous le pouvez, de relire une série qui vous plaisait tant étant jeune, dont vous avez un souvenir ému, associé à de beaux moments.

À quelques exceptions près, le choc risque d'être rude : le souvenir que vous en aviez n'a plus rien à voir avec ce que vous y lisez désormais. La pré-adolescence puis l'adolescence sont des moments de construction importants. Le choix des lectures peut donc, comme d'autres choix amicaux, culturels, d'activités, se découper en phases monomaniaques. Le jeune ne s'intéresse qu'aux livres sur les animaux, puis c'est une collection qui fait son bonheur, ou il ne pense qu'à tout ce qui tourne autour du foot et puis d'un seul coup, il ne veut plus lire que des textes qui l'identifient comme « fille » ou comme « garçon », etc. Nous sommes tous passés par là : il faut donc laisser s'épuiser ces pistes en les guidant, si besoin.

Pour rebondir

★ **Les aventures d'Alice au pays des merveilles**
Ⓐ LEWIS CARROLL Ⓘ ANTHONY BROWNE
Une version d'Anthony Browne, d'habitude plutôt inspiré par les gorilles.
Kaléidoscope, 1989

★ **Alice au pays des merveilles**
Ⓐ LEWIS CARROLL Ⓘ HELEN OXENBURY
La vision d'Helen Oxenbury, tout en rondeurs enfantines.
Flammarion, 2000

★ **Alice au pays des merveilles**
Ⓐ LEWIS CARROLL Ⓘ ANNE HERBAUTS
L'univers d'une jeune artiste contemporaine, Anne Herbauts, avec la traduction de sa sœur.
Casterman (Albums Duculot), 2002

JE VOUDRAIS UN LIVRE POUR UN ENFANT OU UN JEUNE…

… QUI EST À L'AISE AVEC LA LECTURE

Des héros qu'on aime suivre

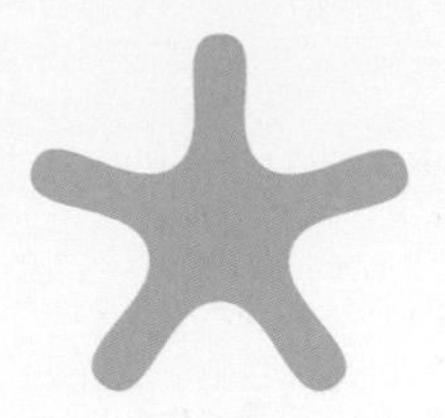

DES SÉRIES POUR LES PLUS GRANDS qui n'ont pas peur de se lancer dans des lectures denses aux multiples rebondissements. La plupart des héros et héroïnes mis en scène dans ces séries constituent de véritables « accroches » pour les lecteurs.

★ SILVERWING 11+

KENNETH OPPEL

Un véritable parcours initiatique dans le monde des chauves-souris : aventures, mythes et Fantastique sont au rendez-vous.

Bayard Jeunesse (Estampille), 2009 (2002) - 4 vol.
1, Les ailes de la nuit - EAN 9782747029582 - 13,90 €

★ DARREN SHAN 12+

DARREN SHAN

Les vampires sont à la mode. Raison de plus pour redécouvrir l'histoire de Darren devenu assistant du vampire sans vraiment le vouloir. Existe aussi en film et en manga.

Hachette Jeunesse (Aventure), 2009 (2001) - 4 vol.
1, La morsure de l'araignée - EAN 9782012018136 - 12 €

★ TOM COX 11+

FRANCK KREBS

Une série fantastique qui transporte son héros, aux pouvoirs magiques, à travers les époques pour rechercher les six compagnons qui lui permettront de sauver le monde.

Seuil Jeunesse (Romans), 2001 - 8 vol. - 1, Tom Cox et l'impératrice sanglante - EAN 9782020478106 - 10 €

★ PHAENOMEN 11+

ERIK L'HOMME

Dans une ambiance proche de celle de la série X.Files, *l'auteur réussit un roman très dynamique autour d'un groupe de jeunes qui cherchent à découvrir un secret engageant la survie du monde.*

Gallimard Jeunesse (Hors série littérature), 2008 (2006)
3 vol. - 1, Phaenomen - EAN 9782070619238 - 6,70 €

★ A COMME ASSOCIATION 11+

ERIK L'HOMME ET PIERRE BOTTERO

Des ados apprentis magiciens, des forces du Mal à combattre : un environnement classique servi par deux auteurs, maîtres du genre. La série continue malgré le décès de Pierre Bottero.

Gallimard Jeunesse - Rageot, 2010 - 5 vol.
1, la pâle lumière des ténèbres - EAN 9782070634682 - 9,90 €

★ PERCY JACKSON 11+

RICK RIORDAN

Percy Jackson découvre un jour qu'il est le fils de Poséidon. L'aventure (et les problèmes) commencent. Une autre manière d'aborder la Mythologie. La série est adaptée au cinéma et en bande dessinée.

Le Livre de Poche Jeunesse, 2010 (2006) - 5 vol.
1, Le voleur de foudre - EAN 9782013228176 - 6,50 €

★ MOLLY MOON 10+

GEORGIA BYNG

Une série qui revisite le thème de l'enfant abandonné à l'orphelinat. Mais ici, la petite Molly Moon se découvre des talents d'hypnotiseuse. Serait-ce héréditaire ? Bien mené et distrayant.

Le Livre de Poche Jeunesse, 2008 (2003) - 4 vol.
1, Molly Moon et le livre magique de l'hypnose
EAN 9782013226660 - 6,50 €

★ maître wen 10+

Ⓐ MICHEL LAPORTE

Des enquêtes policières effectuées par un moine et son disciple dans la Chine impériale. Une écriture classique et facile à lire avant de se lancer, adulte, dans les aventures du Juge Ti ?

Flammarion (Castor poche aventure), 2002 - 4 vol.
1, L'énigme du fleuve - EAN 9782081600812 - 4,70 €

★ garin trousseBœuf 10+

Ⓐ ÉVELYNE BRISOU-PELLEN

L'auteure est connue pour produire beaucoup et depuis longtemps mais toujours des textes de bonne facture. Cette série ravira les adeptes du roman policier et du Moyen Âge.

Gallimard Jeunesse (Folio Junior), 2007 - 11 vol.
1, L'inconnu du donjon - EAN 9782070612956 - 6,10 €

★ les enquêtes d'enola holmes 11+

Ⓐ NANCY SPRINGER

Sherlock Holmes a une sœur ? Eh bien oui ! Et elle est plutôt maligne, débrouillarde et n'a pas froid aux yeux. Ce qui l'entraîne dans des enquêtes que son frère ne renierait pas.

Nathan poche (Policier), 2009 (2007) - 6 vol.
1, La double disparition - EAN 9782092522639 - 6,90 €

★ cherub 12+

Ⓐ ROBERT MUCHAMORE

Une vraie série pour les garçons ? Ils pourront se rêver agent secret comme James, le héros, mais ça n'empêchera pas les filles de s'intéresser à ces aventures sans aucun temps mort.

Casterman (Romans), 2008 (2007) - 12 vol. - 1, 100 jours en enfer - EAN 9782203020641 - 6 €

★ alex rider, quatorze ans, espion malgré lui 12+

Ⓐ ANTHONY HOROWITZ

Le talent de l'auteur n'est plus à démontrer, peu importe le genre qu'il aborde. Les péripéties d'Alex Rider combleront les fans de Cherub, et réciproquement.

Le Livre de Poche Jeunesse (Policier), 2009 (2001) - 9 vol.
1, Stormbreaker - EAN 9782013228206 - 4,90 €

★ journal d'une princesse 11+

Ⓐ MEG CABOT

L'auteure a certainement lu Le Petit Lord Fauntleroy *dans sa jeunesse, mais devenue grande, elle a décidé de transformer le Lord en fille et d'en tirer une série « moderne ». Curieuse idée ? Oui, mais efficace.*

Le Livre de Poche Jeunesse, 2008 - 10 vol.
1, La grande nouvelle - EAN 9782013226233 - 6,50 €

★ quatre filles et un jean 12+

Ⓐ ANN BRASHARES

Calqué sur le modèle des séries télé américaines, les romans (qui ont d'ailleurs été adaptés au cinéma) parleront aux adolescentes (et même aux pré-ados) : amour, amitié et envol vers l'âge adulte.

Gallimard Jeunesse (Pôle fiction), 2010 (2002) - 4 vol.
1, Quatre filles et un jean - EAN 9782070551620 - 7,60 €

★ le journal d'aurore 12+

Ⓐ MARIE DESPLECHIN

Aurore a mauvais caractère mais elle décrit parfaitement les problèmes quotidiens, les premières amours, les incompréhensions avec les parents. Comment ? Ce n'est pas un vrai journal ? Incroyable !

École des loisirs (Médium), 2007 - 3 vol. - 1, Jamais contente
EAN 9782211083317 - 10 €

★ les colombes du roi-soleil 12+

Ⓐ ANNE-MARIE DESPLAT-DUC

Il faut voir l'effet que produit sur certaines jeunes filles l'annonce d'un nouveau volume de cette série ! Les déboires des demoiselles élevées dans l'école de Madame de Maintenon passionnent les blogueuses d'aujourd'hui.

Flammarion (Castor poche), 2009 (2005) - 10 vol.
1, Les comédiennes de monsieur Racine
EAN 9782081211025 - 5,70 €

★ kamo 10+

Ⓐ DANIEL PENNAC

Il y a beaucoup de malice et d'invention dans cette série devenue aujourd'hui classique et qui mêle quotidien, aventure et clins d'œil littéraires. Une bonne manière de découvrir l'œuvre de Pennac.

Gallimard Jeunesse (Folio Junior), 2007 (1992) - 4 vol.
1, L'idée du siècle - EAN 9782070612741 - 5,10 €

★ les désastreuses aventures des orphelins baudelaire 12+

Ⓐ LEMONY SNICKET

Les lecteurs qui apprécient l'humour décalé et les situations dramatiques pas vraiment prises au sérieux s'emballeront pour cette série iconoclaste qui n'hésite pas à jouer avec les codes du roman feuilleton.

Nathan (11 ans et + Aventure), 2010 (2002) - 13 vol.
1, Tout commence mal - EAN 9782092524817 - 5,50 €

★ cathy's book 13+

Ⓐ SEAN STEWART, JORDAN WEISMAN Ⓘ CATHY BRIGG

Une enquête, sous la forme d'un journal, pour ce texte qui s'amuse à briser les frontières entre la fiction et la réalité : les lecteurs et lectrices sont invités à agir par téléphone ou sur le site Internet.

Bayard Jeunesse, 2008 - 3 vol. - 1, Cathy's book : si vous trouvez ce carnet, merci d'appeler le 0 800 300 015
EAN 9782747026758 - 16,90 €

...qui est passionné de lecture

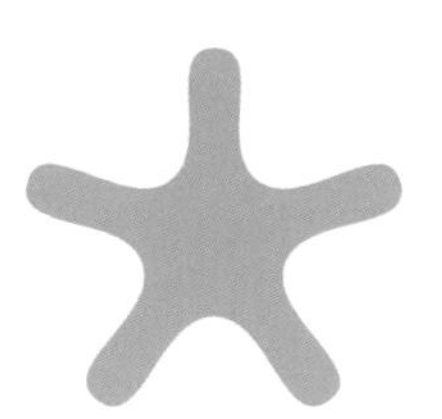

À CERTAINS MOMENTS DE LEUR PARCOURS, LES LECTEURS PEUVENT RESSENTIR LE BESOIN DE DÉCOUVRIR DES TEXTES PLUS COMPLEXES, PLUS LITTÉRAIRES, MOINS RASSURANTS, QUI DEMANDENT UNE CERTAINE MATURITÉ POUR ÊTRE COMPLÈTEMENT APPRÉCIÉS. **Il pourra être intéressant de revenir aussi à certains ouvrages proposés dans les parties précédentes et qui peuvent être lus à différentes périodes de la vie tant leurs interprétations sont multiples. *Peter Pan* est de ceux-là, par exemple. Voici maintenant quelques ouvrages qui demandent plus de souffle, parfois tout simplement en raison de la taille du texte, parfois parce que les thèmes abordés peuvent troubler par leur densité ou par le traitement choisi par l'auteur. Les titres de cette partie brouillent souvent les frontières : est-ce encore de la littérature pour la jeunesse ? Les lecteurs passionnés explorent, sont en quête de littérature, tout simplement. C'est le moment où les goûts se sont affermis mais où l'on est assez bon lecteur pour tenter des expériences, se laisser surprendre et apprécier les livres non seulement pour l'histoire racontée mais aussi pour l'écriture qui la porte.**

★ Le premier qui pleure a perdu 13+

Ⓐ SHERMAN ALEXIE Ⓘ ELLEN FORTNEY

Reconnu comme l'un des plus grands romanciers américains contemporains, Sherman Alexie a publié plusieurs romans mettant en scène les populations amérindiennes, dont il est issu. *Le premier qui pleure a perdu* est, pour l'instant, le seul ouvrage qu'il ait destiné à la jeunesse et qui, comme ses romans pour adultes, fait écho à sa propre biographie. Et c'est un chef-d'œuvre ! Junior accumule toutes les difficultés : indien coincé dans une réserve, il a connu une naissance difficile, vit avec des parents alcooliques et est, de surcroît, très pauvre. Oui, mais, Junior est intelligent, il veut réussir et va s'inscrire dans un lycée de Blancs afin d'échapper à son destin. Tout s'arrange alors ? Ce serait trop simple. Avec beaucoup d'humour, relayé en particulier par les dessins qui parsèment le récit, et une justesse dans la psychologie des personnages, l'auteur fait ressentir la difficulté de changer de milieu, d'environnement : c'est toujours perçu comme une trahison par les siens et comme un danger par ceux vers qui il veut se tourner. Junior est pris en étau entre le lycée et la réserve, les Blancs et les Indiens, son passé, qu'il ne veut pas renier et un avenir qu'il ne peut encore imaginer. Au-delà du contexte américain, rendu avec une grande précision, le récit parle à tous ceux qui se confrontent au poids familial ou à celui d'un groupe ou d'une communauté, à ceux qui cherchent les clés pour sortir de leur univers. Il décrit surtout la difficulté à devenir simplement un individu.

Albin Michel (Wiz), 2008 - EAN 9782226180179 - 13 €

★ ATLAS DES GÉOGRAPHES D'ORBAE 13+

AI FRANÇOIS PLACE

Ce sont d'abord trois objets magnifiques : découvrir ces atlas imaginaires est déjà une expérience sensorielle. On les feuillette, on s'arrête sur une planche illustrée, on examine un détail. La curiosité est piquée et on ne peut que s'embarquer pour ce long voyage de lecture. 26 lieux dont les contours ont les allures de ceux des 26 lettres de l'alphabet. À chaque lieu, une histoire, des personnages étranges, des animaux inquiétants. Et l'écriture de François Place qui a la puissance de celle des contes immémoriaux. Est-ce que tout cela est vrai ? Les paysages semblent tellement réels. Et ce dessin, là, sur le costume de ce chasseur, on l'a déjà vu quelque part, non ? François Place est-il poète ou explorateur ? On se prend à rêver qu'un jour, on découvrira le pays des Zizotls. Alors, en attendant, autant en étudier minutieusement les cartes.

Casterman ; Gallimard, 1996 - 3 vol. - 1, Du Pays des Amazones aux îles Indigo - EAN 9782203142442 - 28,95 €

★ MAINTENANT, C'EST MA VIE 13+

A MEGG ROSOFF

Quand Daisy, adolescente new-yorkaise, débarque chez ses cousins anglais, elle ne sait pas encore qu'elle va y découvrir l'amour. Elle ne sait pas non plus que la guerre va éclater et que toute son existence va en être bouleversée. Par la voix de Daisy, l'auteure donne vie au regard de cette adolescente d'aujourd'hui, centrée, au départ, sur ses petits problèmes et qui va être confrontée à un pays en proie au chaos et à la violence. Livrés à eux-mêmes dans une Angleterre désorganisée, Daisy et ses cousins vont devoir survivre. Au-delà de la robinsonnade et du parcours plus intérieur de l'héroïne, le roman explore une réalité que beaucoup de régions du Monde connaissent et dont nos contrées ne sont peut-être pas à l'abri, même si personne n'ose y penser : et si, demain, c'était la guerre ?

Le Livre de Poche Jeunesse, 2008 (2006) - EAN 9782013227346 - 5,50 €

Je voudrais un livre pour un enfant ou un jeune...

...qui est passionné de lecture

★ Le jeu de la mort 15+

Ⓐ DAVID ALMOND

Kit, 13 ans, revient vivre à Stoneygate, une région minière, berceau de sa famille. Très vite, il est entraîné dans le Jeu de la mort, par John un adolescent étrange et fascinant. Le jeu consiste à rester dans une mine et faire l'expérience de la « mort » pour communiquer avec des mineurs décédés au XIXe siècle. Mais n'est-ce qu'un jeu ? L'auteur excelle à créer une ambiance oppressante proche du Fantastique mais qui peut se lire aussi symboliquement : ces jeux de « passage » entre le monde des morts de la mine et celui des vivants d'aujourd'hui est aussi l'entre-deux qui caractérise l'adolescence, plus vraiment dans l'enfance, mais pas encore dans l'âge adulte. David Almond explore souvent ce thème que l'on retrouvera, par exemple, dans un autre roman tout aussi passionnant, *Le cracheur de feu.*

Gallimard Jeunesse (Scripto), 2003
EAN 9782070543564 - 10,50 €

★ Le jardin de l'homme-léopard 13+

Ⓐ JEAN-FRANÇOIS CHABAS

Des décennies plus tard, Westley, devenu vieux, se souvient de ses onze ans et de cet été 1954 dans le désert de l'Arizona où il vit toujours. Un matin, des hommes ont commencé à construire un château dans le désert. Comment savoir qui l'occupe ? Pour Westley et son ami Walt, approcher le château va devenir une obsession. Des dialogues percutants, des situations insolites, des moments d'émotion à couper le souffle : Jean-François Chabas est l'un des grands écrivains d'aujourd'hui. Il faudra, certes, être un fin lecteur pour apprécier totalement l'humour et la tendresse de ce roman, véritable récit d'apprentissage de la sagesse. Il est peut-être de ces textes que l'on peut lire adolescent et redécouvrir adulte, quand on sait, enfin, qui habite les châteaux dans le désert.

École des loisirs (Médium), 2006 - EAN 9782211084055 - 8,50 €

★ Les larmes de l'assassin 13+

Ⓐ ANNE-LAURE BONDOUX

Adapté en 2011 en bande dessinée par Thierry Murat, ce roman, un des meilleurs de l'auteure, continue de bouleverser, même après plusieurs lectures. Alors qu'il vient de tuer les parents d'un jeune garçon, un assassin épargne ce dernier, sans raison apparente. Commence alors une relation entre les deux protagonistes, l'enfant étant désormais seul au monde, l'assassin se faisant plus humain. Y aura-t-il rédemption ?

Bayard Jeunesse (Millezime), 2003 - EAN 9782747007757 - 10,90 €

★ La saison des mûres 12+

Ⓐ POLLY HORVATH

Cartésiens, passez votre chemin ! Ici, les vieilles dames de 91 ans conduisent sans permis (en essayant d'éviter les ours) et une adolescente peut se nommer Raclette (ce n'est pas un surnom !), baptisée ainsi par des parents davantage préoccupés par leurs chamailleries que par son sort. Mais tout cela fonctionne grâce à la vivacité de l'écriture et à un humour noir assez ravageur.

École des loisirs (Neuf), 2008 - EAN 9782211075664 - 11,50 €

★ Reine du fleuve 13+

Ⓐ EVA IBBOTSON

Maia est envoyée chez des cousins éloignés en Amazonie après avoir passé deux ans dans un orphelinat. Elle espère retrouver une vie normale mais va comprendre très vite que cette famille lointaine s'intéresse surtout à son héritage. Dans la tradition des grands romans du XIXe siècle, tels ceux de Frances Hodgson Burnett, cette histoire a toutes les qualités et le souffle de ces prédécesseurs.

Le Livre de Poche Jeunesse, 2000 (2004) - EAN 9782013227339 - 6,50 €

★ Cœur d'encre 

Ⓐ CORNELIA FUNKE

Voici un livre qui rend hommage au pouvoir de la lecture ! Le père de Meggie possède la capacité étonnante, quand il lit à haute voix, de faire surgir dans la réalité les personnages des livres et d'enfermer les êtres réels dans les ouvrages. À l'instar de L'Histoire sans fin, *de Michael Ende, cette trilogie joue sur le passage entre les mondes du réel et de l'imaginaire.*

Gallimard Jeunesse (Folio Junior), 2010 (2004) - 3 vol.
1, Cœur d'encre - EAN 9782070622085 - 9,20 €

★ L'été du brochet 13+

Ⓐ JUTTA RICHTER

La mère de David et Lucas est en train de mourir. Avec Claire, leur amie, les deux enfants pensent qu'ils pourront la sauver s'ils arrivent à pêcher le « roi des brochets ». Autant roman du deuil que de la fin de l'enfance, ce très beau récit, raconté par Claire, touchera par sa sensibilité aussi bien les adultes que les adolescents qui apprécient les écritures au style dépouillé.

La Joie de lire (Récits), 2006 - EAN 9782882583253 - 9 €

★ L'invention de Hugo Cabret : roman en mots et images 12+

Ⓐⓘ BRIAN SELZNICK

Un roman très original puisqu'il alterne texte et illustrations qui ne peuvent pas se lire l'un sans l'autre ! Inspiré de la vie de Georges Méliès, le roman rend un hommage, littéraire et graphique, à ce créateur génial et au Paris des années 30. Sans être trop didactique, le texte permet de découvrir une multitude d'anecdotes sur l'inventeur des trucages au cinéma grâce à une intrigue haletante.

Bayard Jeunesse, 2011 (2008) - EAN 9782747038867 - 12 €

★ Miss Charity 13+

Ⓐ MARIE-AUDE MURAIL ⓘ PHILIPPE DUMAS

Écrire un roman de presque 600 pages, inspiré de la vie de Beatrix Potter, rempli de clins d'œil à la littérature, avec une écriture fluide et classique, il fallait oser ! Eh bien, c'est fait ! C'est une réussite et en plus, cela plaît à toutes celles et ceux qui osent se plonger dans cette lecture passionnante. Les adultes apprécieront également.

École des loisirs, 2008 - EAN 9782211089258 - 24,80 €

★ Adieu la chair 15+

Ⓐ JULIA KINO

Les âmes sensibles pourront être choquées par la violence de ce récit, mais elles auraient bien tort car elle est, en fait, peu réaliste et surtout métaphorique. La narratrice raconte la sortie de l'adolescence, la fin du besoin d'être en bande, la maîtrise des pulsions. Julia Kino a le talent de mêler l'énergie de sa jeunesse à une écriture digne des écrivains les plus confirmés.

Sarbacane (Exprim'), 2007 - EAN 9782848651583 - 9 €

Je voudrais un livre pour un enfant ou un jeune…

… qui est passionné de lecture

★ Holmes et moi 15+

JAKUTA ALIKAVAZOVIC

Les lecteurs qui aiment faire des découvertes doivent se précipiter sur les romans de cette auteure, y compris ceux publiés pour les adultes. Ils y trouveront un style, un univers, et une ambiance incomparables.

École des loisirs (Médium), 2004
EAN 9782211071543 - 9,50 €

★ Le cercle des menteurs 13+

JEAN-CLAUDE CARRIÈRE

Des contes philosophiques, de sagesse et autres histoires drôles ou tragiques pour s'amuser, réfléchir, découvrir la pensée d'autres cultures et d'autres peuples.

Pocket, 2010 (1998) - 2 vol. - EAN 9782266209724
7,40 €

★ La bible du hibou : légendes, peurs bleues, fables et fantaisies du temps où les hivers étaient rudes 13+

HENRI GOUGAUD

Un recueil de contes incontournables, par un des plus grands conteurs français. Les insatiables enchaîneront avec L'arbre aux trésors, *du même auteur.*

Seuil (Points), 1995 - EAN 9782020252881- 6,50 €

★ Lune indienne 15+

ANTJE BABENDERERDE

Les lecteurs qui ont apprécié Le premier qui pleure a perdu *retrouveront des questions et un univers similaires, mais abordés différemment, dans ce roman d'une auteure allemande.*

Bayard Jeunesse (Millezime), 2007
EAN 9782747021029 - 11,90 €

★ Leïla, les jours 12+

PIERRE-MARIE BEAUDE

Pierre-Marie Beaude est l'écrivain des grands espaces, des déserts, des aventures épiques. Ici, il narre le parcours de Soufiane à la recherche de Leïla qu'il a croisée enfant et qu'il rêve d'épouser.

Gallimard Jeunesse (Scripto), 2005
EAN 9782070529032 - 8 €

★ La saga Mendelson 13+

FABRICE COLIN

L'auteur excellait déjà dans les romans de Fantasy et de Science-Fiction, le revoilà avec des roman historiques racontant la saga d'une famille juive tout au long du XXe siècle. Réel ou inventé ?

Seuil Jeunesse (Fiction grand format), 2009 - 3 vol.
1, Les exilés - EAN 9782020977760 - 16,50 €

★ Arthur 13+

KEVIN CROSSLEY-HOLLAND

Arthur, jeune écuyer du XIIe siècle, découvre l'histoire du roi Arthur par le biais d'une pierre magique. L'auteur revisite magistralement la légende en mettant en parallèle la vie du jeune homme et celle du roi légendaire.

Le Livre de Poche Jeunesse (Historique), 2009 (2002)
4 vol. - 1, La pierre prophétique
EAN 9782013227438 - 6,50 €

★ La parole de Fergus 15+

SIOBHAN DOWD

Tous les romans de cette auteure trop tôt disparue sont à lire d'urgence. Dans celui-ci, un jeune Irlandais fait une découverte archéologique de la plus haute importance et tombe amoureux pendant que son frère, sympathisant de l'IRA, est en prison.

Gallimard Jeunesse (Scripto), 2009
EAN 9782070620968 - 13 €

★ Un endroit où se cacher 13+

JOYCE CAROL OATES

Jenna a survécu à l'accident de voiture qui a tué sa mère. Elle se sent coupable. Joyce Caro Oates investit ses personnages d'un tel réalisme qu'on se sent à leurs côtés.

Albin Michel (Wiz), 2010 - EAN 9782226195432 - 13,50 €

★ Voilà pourquoi les vieillards sourient 13+

MARIE-SOPHIE VERMOT

Des secrets de famille, enfouis dans la mémoire de vieillards taiseux, un soleil de plomb et un adolescent qui veut tout savoir avant de s'exiler. Par une auteure importante de la littérature de jeunesse.

Rouergue (DoaDo), 2003 - EAN 9782841564385 - 8 €

★ La douane volante 15+

FRANÇOIS PLACE

Le passage dans un monde inconnu d'un jeune rebouteux pendant la Guerre de 14 ou quand l'Ankou des légendes bretonnes vous emmène dans le décor de la Hollande du XVIe siècle.

Gallimard Jeunesse (Hors série littérature), 2010
EAN 9782070628155 - 13,50 €

★ Sur le fleuve 14+

HERMANN SCHULZ

Années 30. Friedrich, missionnaire, emmène en pirogue à l'hôpital des Blancs, sa fille malade. Au fil du fleuve et des arrêts, ce sont les Africains qui gardent, en fait, la petite en vie.

École des loisirs (Médium), 2004
EAN 9782211055505 - 9 €

★ Le jour de la cavalerie 15+

HUBERT MINGARELLI

Avec une écriture et une ambiance qui évoquent Faulkner ou Beckett, l'auteur enferme ses personnages dans un huis-clos étouffant et superbe.

Seuil (Points), 2003 (1995) - EAN 9782020573849
4,95 €

★ Calvino-Calvina 12+

CARLO FRABETTI

Un cambrioleur est pris au piège par un enfant étrange affublé d'un loup. Il ne faut pas avoir peur d'être bousculé si l'on veut pénétrer cet univers tout à fait original et farfelu.

Les Grandes Personnes, 2010 - EAN 9782361930134
11 €

★ Le clan des Otori 15+

LIAN HEARN

Le Japon féodal imaginaire inventé par l'auteure a tout du vrai, si ce n'est l'existence de pouvoirs magiques que se découvre le héros principal. Pour le reste, code de l'honneur, batailles et histoire d'amour sont au rendez-vous de ce récit haletant.

Gallimard (Folio), 2003 (2002) - 5 vol. - 1, Le silence du rossignol - EAN 9782070302581 - 7,80 €

★ Le bizarre incident du chien pendant la nuit 12+

MARK HADDON

Après le meurtre d'un chien, l'enquête est menée par un autiste. Le lecteur suit l'intrigue à travers son regard décalé et surprenant. Improbable et pourtant très enthousiasmant.

Pocket (Best), 2005 (2004) - EAN 9782266148719
6,60 €

★ La voleuse de livres 13+

MARKUS ZUSAK

Une fresque historique en pleine Seconde Guerre mondiale racontée par la Mort elle-même. Comme celui de Mark Haddon, ce texte a paru simultanément en édition jeunesse et adulte.

Pocket (Best), 2008 (2007) - EAN 9782266175968
7,90 €

... qui est passionné de lecture

POUR REBONDIR

Certains livres paraissent en littérature pour la jeunesse et peuvent s'adresser à des lecteurs adultes, d'autres sont publiés en littérature générale et peuvent être proposés à de très bons lecteurs adolescents. Voici une sélection de quelques titres, repérés par les adultes ou plébiscités par les jeunes eux-mêmes, qui mettent en scène des parcours, initiatiques ou pas, de personnages sortant de l'adolescence pour entrer dans le monde des adultes ou pour simplement commencer à l'entrevoir.

★ L'ATTRAPE-CŒURS 14+
A JEROME DAVID SALINGER
Pocket Jeunesse (jeunes adultes), 2010 (1951)
EAN 9782266205948 - 5,60 €

★ SOUS LE RÈGNE DE BONE 15+
A RUSSELL BANKS
Actes Sud (Babel), 2001 (1995) - EAN 9782742708581
9,50 €

★ L'ARBRE DU PÈRE 15+
A JUDY PASCOE
10-18 (Domaine étranger), 2010 (2003)
EAN 9782264052988 - 6,50 €

★ MR VERTIGO 15+
A PAUL AUSTER
Le Livre de Poche, 2007 (1994) - EAN 9782253140757 - 6 €

★ KAFKA SUR LE RIVAGE 15+
A HARUKI MURAKAMI
10-18, 2007 (2006) - EAN 9782264044730 - 9,40 €

★ NE TIREZ PAS SUR L'OISEAU MOQUEUR 13+
A HARPER LEE
Le Livre de Poche, 2007 (1960) - EAN 9782253115847
6,50 €

★ DEUX SANS BARREUR 15+
A DIRK KURBJUWEIT
Actes Sud (Babel J), 2006 (2005) - EAN 9782742763450
6,50 €

★ BIG FISH : ROMAN AUX PROPORTIONS MYTHIQUES 15+
A DANIEL WALLACE
Autrement (Littératures), 2004 - EAN 9782746704473 - 13 €

★ LE SAULE 15+
A HUBERT SELBY JR
Points, 2009 (1999) - EAN 9782757813072 - 10 €

Quelques titres en théâtre et poésie

POÉSIE

★ MES POULES PARLENT 9+
A MICHEL BESNIER I HENRI GALERON
Møtus (Pommes, pirates, papillons), 2004
EAN 9782907354578 - 10 €

★ LES ANIMAUX DE PERSONNE 9+
A JACQUES ROUBAUD
Seghers Jeunesse, 2004 (1991) - EAN 9782232000089 - 6 €

★ MON KDI N'EST PAS UN KDO 9+
A MICHEL BESNIER I HENRI GALERON
Møtus (Pommes, pirates, papillons), 2008
EAN 9782907354912 - 10 €

THÉÂTRE

★ LA PANTOUFLE 7+
A CLAUDE PONTI
École des loisirs (Théâtre), 2006 - 2 vol.
EAN 9782211083645 - 7 €

★ LE PETIT CHAPERON ROUGE 10+
A JOËL POMMERAT I MARJOLAINE LERAY
Actes Sud-Papiers, 2005 - EAN 9782742756568 - 7,50 €

★ BOULI MIRO 10+
A FABRICE MELQUIOT
Arche (Théâtre jeunesse), 2005 - EAN 9782851815224 - 9 €

★ LA VRAIE FIANCÉE 9+
A OLIVIER PY I OLIVIER GONTIÈS
Actes Sud-Papiers (Heyoka jeunesse), 2008
EAN 9782742780068 - 7,50 €

★ LES TROIS PETITS VIEUX QUI NE VOULAIENT PAS MOURIR 10+
A SUZANNE VAN LOHUIZEN
Paris : Arche (Théâtre jeunesse), 2005
EAN 9782851816078 - 9 €

★ KANT - NOIR ET HUMIDE - SI LENTEMENT - PETITE SŒUR 10+
A JON FOSSE
Arche (Théâtre jeunesse), 2009 - EAN 9782851817006 - 9 €

★ ÊTRE LE LOUP 10+
A BETTINA WEGENAST
École des loisirs (Théâtre), 2004 - EAN 9782211077330 - 7,50 €

★ L'OGRELET 9+
A SUZANNE LEBEAU
Théâtrales (jeunesse), 2003 - EAN 9782842601362 - 7 €

★ PINOCCHIO 10+
A JOËL POMMERAT I OLIVIER BESSON
Actes Sud, 2008 - EAN 9782742775873 - 10 €

★ 12 PETITES PIÈCES POUR ADOLESCENTS 12+
A THÉÂTRE EN COURT
Théâtrales (jeunesse), 2005 - EAN 9782842601706 - 12 €

★ CENT CULOTTES ET SANS PAPIERS 10+
A SYLVAIN LEVEY
Théâtrales (jeunesse), 2010 - EAN 9782842603991 - 7 €

★ LE MANUSCRIT DES CHIENS 10+
A JON FOSSE
Arche (Théâtre jeunesse), 2002 - 3 vol.
1, Quelle galère ! - EAN 9782851817051 - 11 €

REGARD CRITIQUE

La littérature pour adolescents serait violente et dépressive, les thèmes abordés malsains ou trop noirs. Régulièrement, des débats surgissent sur le fait de proposer tel ou tel livre supposé « dangereux » à des jeunes que l'on juge influençables. Qu'en est-il vraiment ?

Rappelons d'abord que les livres qui font polémique auprès des adultes ne représentent qu'une toute petite fraction de la production éditoriale et n'ont souvent absolument pas le même impact auprès des lecteurs adolescents. Il n'y a pas de livres « dangereux ». Il existe effectivement des choix éditoriaux particuliers qui mettent en avant l'idée que l'écriture prime sur l'histoire et que la littérature est faite pour « bousculer » le lecteur, le « déranger », le « changer ». Certains auteurs y abordent des sujets qu'ils considèrent comme tabous (mais en reste-t-il vraiment ?). Précisons que cette littérature s'adresse donc à un type de lecteurs tout à fait capables de juger si ces livres correspondent à leur attente ou pas.

Il peut exister néanmoins des « erreurs éditoriales » lorsque, par exemple, certaines couvertures semblent adresser le livre à un jeune lectorat alors que le contenu concerne des grands adolescents. Mais la plupart du temps, le problème vient davantage de la position de l'adulte et de l'image qu'il se fait de l'adolescence, que des livres eux-mêmes.

Je voudrais un livre pour un enfant ou un jeune...

... qui est passionné de lecture

Des textes illustrés

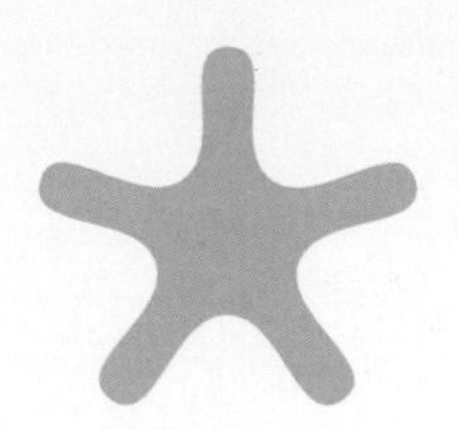

Quand les enfants deviennent plus grands, qu'ils lisent de « vrais » romans, les albums et les textes illustrés semblent être oubliés. Il est dommage de perdre cette culture de l'image et de la laisser uniquement à la télévision, au cinéma ou aux jeux vidéo. Des illustrateurs de grand talent écrivent ou accompagnent des textes qui s'adressent à de bons lecteurs. Voici quelques propositions d'œuvres qui étonneront celles et ceux qui voudront bien se laisser embarquer dans leur univers.

★ Tokyo sanpo 11+

(AI) FLORENT CHAVOUET

Carnet de voyage, guide touristique, album illustré, ce livre est tout cela, et bien plus encore : un véritable voyage à lui tout seul. Illustrations et textes sont à la fois précis, drôles et bourrés d'informations.

Picquier, 2009 - EAN 9782809700763 - 24 €

★ Ici Londres 9+

(A) VINCENT CUVELLIER (I) ANNE HERBAUTS
(M) OLIVIER MELLANO

Pendant la Seconde Guerre mondiale les Français qui recevaient Radio Londres *pouvaient entendre des phrases codées destinées à la Résistance. Sorties de leur contexte, illustrées et mises en musique, ces phrases dégagent une poésie évidente. Un dossier historique accompagne l'album.*

Rouergue (Varia), 2009 - EAN 9782841569380 - 22 €

★ Un petit moins en plus 11+

(AI) HENRI MEUNIER

Une manière originale et poétique de découvrir quelques grandes œuvres exposées au musée du Louvre et d'apprécier le talent d'un jeune auteur illustrateur.

**L'Atelier du poisson soluble ; Musée du Louvre, 2009
EAN 9782913741683 - 15 €**

★ Le Tibet : les secrets d'une boîte rouge 9+

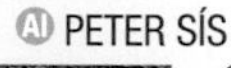

(AI) PETER SÍS

Qu'il explore Prague ou New York, qu'il parle des dragons de Komodo ou de Darwin, Peter Sís possède un univers bien à lui, envoûtant et foisonnant. Cet album autour du Tibet évoque autant les vrais voyages que les rêves de l'enfance.

Grasset Jeunesse, 1998 - EAN 9782246567813 - 16,80 €

★ Le sauvage 12+

(A) DAVID ALMOND (I) DAVE McKEAN

Cette nouvelle, ou petit roman, peut se lire comme un conte fantastique, une métaphore sur la fin de l'enfance ou sur la magie de l'écriture. À chacun sa lecture, que les images abruptes de McKean éclaireront encore d'un autre jour.

**Gallimard Jeunesse (Album junior), 2010
EAN 9782070622795 - 13 €**

★ L'Indien de la tour Eiffel 9+

(A) FRED BERNARD (I) FRANÇOIS ROCA

La puissance des illustrations (de véritables tableaux) et la force de l'écriture qui joue de tous les registres animent cet album, aux références autant littéraires que cinématographiques, condamnant les préjugés raciaux et sociaux dans le Paris de 1889. Incontournable. Les deux auteurs travaillent ensemble depuis 15 ans et développent en parallèle un travail personnel.

Seuil Jeunesse, 2004 - EAN 9782020639354 - 18 €

★ Le garçon qui s'enfuit dans les bois 12+

(A) JIM HARRISON (I) TOM POHRT

Un des plus grands auteurs contemporains américain raconte un moment d'enfance : comment le petit Jimmy, 7 ans, va perdre son œil gauche dans une bagarre. Un récit inspiré de la vie de l'auteur, avec des illustrations qui donnent toute son importance à la nature.

**Bourgois ; Seuil Jeunesse, 2001
EAN 9782020514002 - 11,95 €**

★ Le chien de Noureev 13+

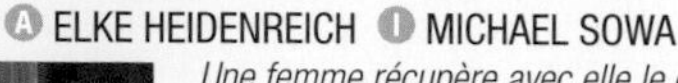

(A) ELKE HEIDENREICH (I) MICHAEL SOWA

Une femme récupère avec elle le chien de Noureev et découvre… qu'il danse ! Saura-t-elle garder le secret ? Un récit surprenant et profond, teinté d'humour autour duquel l'illustrateur Sowa a tissé un univers comme en suspens. Voir aussi, des mêmes auteurs : Un cochon pour la vie.

Sarbacane, 2007 - EAN 9782848651187 - 9,50 €

★ Les mystères de Harris Burdick : édition portfolio 8+

CHRIS VAN ALLSBURG

Si beaucoup connaissent Jumanji *ou* Pôle Express *grâce au cinéma, peu ont entendu le nom de l'auteur des albums dont ils sont tirés. On le retrouve avec ce portfolio, véritable envol pour l'imaginaire.*

École des loisirs, 2007 - EAN 9782211089623 - 14,50 €

★ Jeu de piste à Volubilis 9+

MAX DUCOS

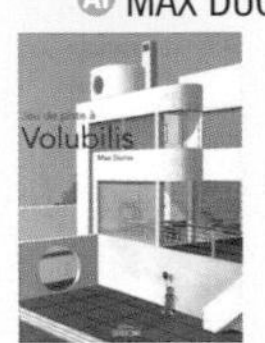

L'album a l'air de s'adresser aux plus jeunes, mais il faut savoir qu'il regorge de références à la peinture, la sculpture, la littérature ou l'architecture, pour apprécier sa richesse et s'aventurer dans son jeu de piste.

Sarbacane, 2006 - EAN 9782848651002 - 14,90 €

★ Les animaux domestiques 9+

JEAN LECOINTRE

Jean Lecointre adore faire des montages insolites avec des photos trouvées dans des catalogues, souvent ceux des années 50. Cela donne un petit air surréaliste à ses histoires qui se lisent à différents degrés, à partir du deuxième, de préférence.

Thierry Magnier, 2007 - EAN 9782844205568 - 16 €

★ Bestiaire 9+

MICHAEL SOWA

Les images de Michael Sowa semblent paisibles et tranquilles au premier abord, et puis, en y regardant de plus près, quelque chose inquiète, attire. Et on n'en revient pas.

Seuil, 1999 - EAN 9782020371636 - 18,50 €

★ Frisson de fille 11+

EDWARD VAN DE VENDEL · ISABELLE VANDENABEELE

À lire le titre, on n'imagine pas que l'album revisite l'histoire de Barbe-Bleue. *Quand on le sait, le frisson prend tout son sens. Un texte pour les plus grands magnifié par des gravures sur bois percutantes.*

Rouergue (Varia), 2007 - EAN 9782841568185 - 18 €

★ Morphoses 15+

CLAUDINE GALÉA · GOELE DEWANCKEL

Impossible de décrire ou de résumer cet ouvrage, c'est avant tout une expérience poétique, sensuelle, et même multimédia puisqu'il se prolonge avec une chorégraphie en 3D, Seule avec le loup *à voir sur http://www.nncorsino.com*

Rouergue, 2006 - EAN 9782841567553 - 25 €

★ Une araignée, des tagliatelles et au lit, tu parles d'une vie ! 13+

CAMILLE JOURDY

Un écrivain, son personnage, sa femme et un ancien pirate se retrouvent au bord du lac Titicaca. Pour arriver à cette rencontre improbable, l'auteure multiplie les trouvailles de narration et d'illustration, c'est foisonnant, drôle, picaresque ! À découvrir aussi : la série des Rosalie Blum.

Drozophile – Quiquandquoi, 2004
EAN 9782940275182 - 22 €

★ Lettres des Isles Girafines 9+

ALBERT LEMANT

Jeu sur le réel et l'imaginaire, construit comme un vrai-faux documentaire, l'album brouille les pistes mais recèle surtout une critique virulente des explorateurs et de la colonisation. À lire aussi : Les derniers Géants, *de François Place.*

Seuil Jeunesse, 2003 - EAN 9782020618403 - 18 €

★ Les bêtes d'ombre : un conte sauvage 13+

ANNE SIBRAN · STÉPHANE BLANQUET

Un conte sauvage ? Oui, car il évoque, de manière assez évidente, le génocide du Rwanda. Les illustrations de Stéphane Blanquet, créateur venu de la bande dessinée, à l'univers toujours déstabilisant, donnent encore plus d'impact à cette terrible histoire.

Gallimard Jeunesse (Giboulées) - EAN 9782070614424
17,50 €

★ Contes de la banlieue lointaine 13+

SHAUN TAN

Pouvant se lire seul ou comme un écho à la bande dessinée, Là où vont nos pères *(Prix du meilleur album 2008 à Angoulême) du même auteur, cet album, composé de nouvelles illustrées, entraîne le lecteur dans un ailleurs indéfinissable et envoûtant.*

Gallimard Jeunesse (Album junior), 2009
EAN 9782070620760 - 18 €

Galaxie séries

Les séries sont souvent une étape essentielle, un moment particulier dans un parcours de lecteur. Elles offrent une lecture rassurante : le cadre ne change pas et les personnages sont très vite repérés. Connaissant leur mode de fonctionnement, ce qui enlève une difficulté, le jeune peut se concentrer uniquement sur l'intérêt de leurs péripéties. Dans ce cadre, se noue également un rapport affectif important : on s'intéresse aux personnages, on les suit, on aime les retrouver. La plupart du temps, la qualité principale d'une série tient donc dans le fait de créer des actions très dynamiques et de mettre en scène des personnages attachants sans rechercher particulièrement un style littéraire très élaboré. Ce qui n'empêche pas forcément d'y trouver des scénarios passionnants. Il existe toutes sortes de série pour la jeunesse (et pour les adultes) qui correspondent à autant de types de lecteurs. On retrouve bien évidemment le système des séries sous des formes diverses, comme à la télévision ou dans la bande dessinée, mais le principe reste le même. La production éditoriale utilise abondamment ce procédé en déclinant les genres : c'est un bon moyen d'attirer un lectorat et de le fidéliser (si la série fonctionne !). On peut rapprocher cette dynamique de celle du feuilleton, à ceci près que dans le feuilleton, chaque épisode est la suite du précédent et non pas une suite d'histoires autonomes mettant en scène les mêmes personnages. Il y a un véritable « effet série » ou « effet feuilleton », c'est pourquoi les autres chapitres de ce livre proposent également quelques titres qui rentrent dans ce cadre.

Voici, comme repère, une galaxie avec quelques séries phares qui correspondent à des attentes de lecteurs. Elles n'y sont évidemment pas toutes ! D'abord parce que la plupart se créent et disparaissent parfois avant même que l'on puisse les connaître, ensuite parce qu'il y en a tant que plusieurs volumes de ce guide n'y suffiraient pas.

Il faut donc prendre cette cartographie comme une aide pour définir des envies de lecteurs et comme le point de départ d'autres découvertes.

LES CLASSIQUES

LE CLUB DES CINQ 9+
Ⓐ ENID BLYTON, CLAUDE VOILIER

Hachette Jeunesse, 2006 (1942)
21+24 vol.

FANTOMETTE 8+
Ⓐ GEORGES CHAULET

Hachette Jeunesse (Bibliothèque Rose. Les classiques de la Rose), 2010 (1961) - 52 vol.

ALICE 9+
Ⓐ CAROLINE QUINE

Hachette Jeunesse (Bibliothèque Verte. Les classiques de la verte), 2006 (1930)

LA GALAXIE DES FILLES

HEARTLAND 9+
Ⓐ LAUREN BROOKE

Pocket Jeunesse, 2001 - 39 vol.

LES FILLES DE GRAND GALOP 9+
Ⓐ BONNIE BRYANT

Bayard Jeunesse, 2006

TÉA STILTON 9+
Ⓐ TÉA STILTON

Albin Michel Jeunesse (Téa Sisters), 2006 - 11 vol.

L'ÉTALON NOIR 10+
Ⓐ WALTER FARLEY

Hachette Jeunesse (Bibliothèque Rose. Les classiques de la Rose), 2010 (1941) - 19 vol.

DANSE ! 10+
Ⓐ ANNE-MARIE POL

Pocket Jeunesse, 2007 (1991)
40 vol.

WINX CLUB 8+
Ⓐ SOPHIE MARVAUD

Hachette (Bibliothèque Rose), 2006 - 34 vol.

LA GALAXIE DES GARÇONS

LES SIX COMPAGNONS 9+
Ⓐ PAUL-JACQUES BONZON

Hachette Jeunesse, 2010 (1961)
49 vol.

GÉRONIMO STILTON 9+
Ⓐ GERONIMO STILTON

Albin Michel Jeunesse, 2008
57 vol.

PLANÈTES MIXTES

FOOT 2 RUE 9+
Ⓐ MICHEL LEYDIER

Hachette, 2009 - 33 vol.

LA CABANE MAGIQUE 8+
Ⓐ MARY POPE OSBORNE

Bayard Jeunesse, 2005 - 39 vol.

ÉTOILE « COLLECTION »

CHAIR DE POULE 11+
Ⓐ ROBERT LAWRENCE STINE

Bayard Jeunesse, 2010 (1993)
+ de 100 vol.

© Isabelle Franciosa pour Casterman

François Place
Lectures d'enfance

François Place a su créer une œuvre immédiatement reconnaissable, tant par le dessin que par l'écriture. Ses illustrations offrent souvent de magnifiques décors dans lesquels des personnages semblent comme pris sur le vif, arrêtés un instant dans leur mouvement, chacun concentré sur la tâche qui le requiert et qu'il reprendra une fois que le lecteur aura tourné la page. Les histoires de François Place font appel à l'imaginaire des voyages, évoquent les contes ancestraux, les légendes à demi perdues. Son écriture ample et poétique fait surgir à elle seule des images : il suffit pour s'en convaincre de lire son roman, après tant de somptueux albums, *La douane volante* pour comprendre combien son écriture se nourrit de peinture, de dessins et combien les illustrations de ses albums s'inspirent de nombreuses lectures. Mais le génie de François Place tient dans l'univers unique qu'il dresse au fil d'une œuvre sans équivalents.

Comment imaginez-vous vos histoires ? Elles semblent toujours comporter des références que le lecteur pourrait découvrir mais insérées dans une aventure totalement originale.

C'est vrai que j'imagine mes histoires à partir d'une nébuleuse de formes et d'idées issues de mes propres lectures, et tant mieux si, au détour d'une phrase, un lecteur tombe sur une référence flottante qui lui rappelle un paysage, un événement ou un personnage. Mais c'est avant tout le plaisir d'écrire une histoire qui me guide, quitte à abandonner, justement, ce qui lui a servi de fondation ou de sédiment. Je ne cherche pas à tout prix à retenir l'attention sur ces « références ». Je ne vois pas l'écriture comme un mille-feuilles organisé proposant plusieurs niveaux de lecture s'adressant à chacun en fonction de son âge ou de ses connaissances. Le plaisir d'une lecture est à la fois dans ce qu'elle offre et ce qui résiste en elle, et que bien souvent l'auteur lui-même ignore. Et puis, j'ai besoin d'un décalage dans le temps et dans l'espace qui dessine un ailleurs, et je le trouve plus facilement dans les récits de voyage anciens, dans l'iconographie qui accompagne l'évolution des sociétés et dans les récits rapportés des quatre coins du monde.

Vos histoires mettent souvent en scène des parcours initiatiques. Vous pensez qu'elles peuvent correspondre aux intérêts des adolescents ?

Les thèmes de l'initiation, de la transmission du savoir et du partage des connaissances courent dans mes textes et se répondent de l'un à l'autre. Ce sont des thèmes qui me passionnent et qui me stimulent. Pour autant, je n'ai pas de « leçon » à donner. Je suis du côté de la fable, j'aime raconter. Je ne vise pas un public particulier en écrivant, j'ai envie d'être transporté par une histoire et d'emmener le lecteur avec moi.

Pourriez-vous citer quelques titres de vos lectures d'enfance qui vous ont donné envie de lire ?

Tout gamin, l'album dont je me souviens le plus est *Apoutsiak*. J'adorais aussi *Babar*. Ensuite il y a eu le journal *Pilote* que toute la famille attendait avec ferveur pour y lire *Astérix*, *Blueberry*, etc. Je me souviens ensuite d'avoir lu beaucoup de livres de la Bibliothèque Rose ou Verte, une grande partie de la collection Mille Soleils et de la série des « Contes et légendes ». Je ne sais plus sous quelle forme (album ? roman « allégé » ?) j'ai lu *Moby Dick* mais j'ai rencontré ces personnages de la baleine blanche et du capitaine Achab assez tôt. À l'adolescence, je me souviens de *L'écume des jours* et des autres livres de Boris Vian, de quantité de livres de Science-Fiction (Philip K Dick, Ray Bradbury, etc), de *Martin Eden* de Jack London, des grands livres de voyage de Jules Verne, des contes de Buzzati et de Calvino, des romans de Kafka, d'un grand nombre de livres historiques empruntés à la bibliothèque. Et puis, il y avait aussi toutes les découvertes faites grâce à un certain nombre d'enseignants, la poésie, le théâtre, parce que j'aimais les cours de littérature… La littérature jeunesse d'aujourd'hui est souvent décriée au prétexte qu'elle ferait ombrage aux grands classiques. Cela n'a aucun sens. Les jeunes lecteurs ont, tout comme les adultes, la possibilité de se confronter à des lectures multiples, légères ou savantes, sérieuses ou capricieuses, contemporaines ou très anciennes. Je crois que je n'aurai jamais vraiment fini d'apprendre à lire, c'est à la fois un plaisir et un travail que j'espère poursuivre toute ma vie.

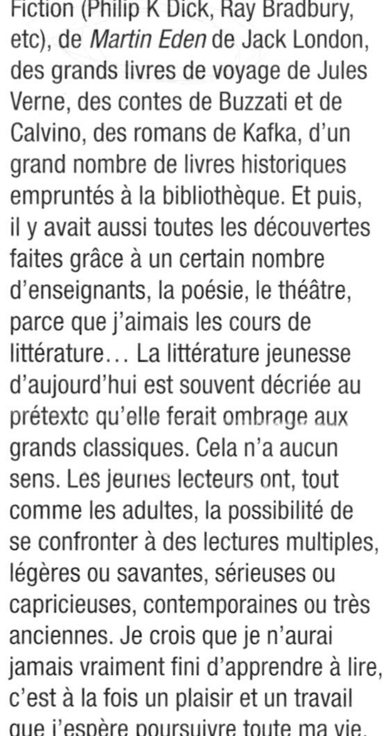

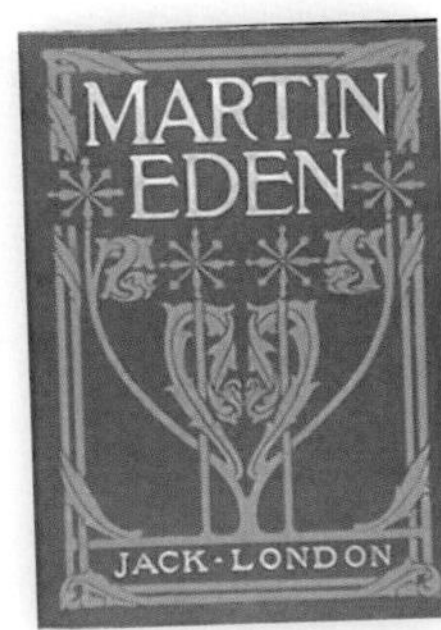

que LIRE...

Médium Club
RIE CADOT-COLIN
Nicolette
de la Rose
Livre
Poche

QUELQUES MOTS SUR LES GENRES

QUELLE EST LA DIFFÉRENCE ENTRE LA FANTASY, LE FANTASTIQUE ET LA SCIENCE-FICTION ?

Pourquoi Harry Potter plaît-il autant ? Y-a-t'il des bons romans policiers pour la jeunesse ? Autant de questions que l'on se pose parfois face à cette production foisonnante. Cette partie est donc construite autour de ces quelques genres afin de fournir des pistes pour s'y retrouver. Elle a été pensée à partir des demandes de lecteurs profanes, pas celles de spécialistes. Le classement est donc assez souple et met côte à côte des ouvrages qui se font écho, sans prendre trop de liberté avec leur genre initial, mais en privilégiant des logiques de parcours plutôt que des séparations strictes. Par ailleurs, il n'est pas rare de voir aujourd'hui des titres mélangeant plusieurs genres : les auteurs sont libres d'inventer et certains n'hésitent pas à faire fi des catégories, à tordre les codes établis voire à créer de toutes pièces un univers… que d'autres s'empresseront de reconnaître comme étant un nouveau genre ! Une « galaxie » vous renseignera également, au début de chaque chapitre, sur quelques titres faisant référence dans le domaine. Bien entendu, vous retrouverez également, ici et là, dans le guide, des romans policiers, de Fantasy ou de Fantastique classés dans la première ou la troisième partie. Un texte peut être rangé dans différentes catégories selon l'envie du moment. Le but est de susciter le désir d'aller voir plus loin, de rebondir d'un titre à l'autre, de faire des découvertes tout en se construisant quelques repères. Ensuite, chacun se fera son propre classement, comme il le souhaite, suivant ce qui semble le plus important pour lui ou ce qui domine dans l'ouvrage.

Galaxie

Fantasy

La Fantasy a une longue histoire que certains font remonter jusqu'à Homère. C'est peut-être tirer le genre vers un passé beaucoup trop lointain, mais il n'en reste pas moins que cette littérature utilise souvent un bestiaire tiré de mythologies antiques et de croyances populaires, en particulier celles concernant les êtres féeriques. Le genre est également riche de ce qu'on appelle la Matière de Bretagne, à savoir les récits des *Chevaliers de la Table Ronde*. Le mélange de combat chevaleresque, de quête et de merveilleux fait donc partie de cet univers si particulier, même si le genre compte plusieurs « courants » différents. Tolkien s'est ainsi servi des mythologies nordiques pour créer l'univers du *Seigneur des Anneaux*. Il a aussi utilisé le principe du personnage « Élu », que l'on retrouve dans les contes, souvent incarné par un être *a priori* peu destiné aux épreuves qui l'attendent et qui se révèlera finalement être le seul à pouvoir affronter, et vaincre, l'incarnation du Mal. Les lecteurs d'Harry Potter reconnaîtront facilement dans ces descriptions le schéma de leur lecture favorite. J. K. Rowling a habilement mélangé ces ingrédients en y ajoutant l'univers très quotidien du collège (voir regard critique page 53). Elu, Quête initiatique, combat contre le Mal, le tout dans un univers où les chimères ne semblent pas incongrues sont donc les repères pour reconnaître le genre de la Fantasy. La magie y est aussi considérée comme un élément faisant partie du quotidien. Si les jeux de rôles avaient déjà permis à de nombreux fans de découvrir les monde de l'imaginaire (beaucoup de jeunes auteurs actuels, tel Fabrice Colin en sont d'ailleurs issus), Harry Potter a généré un engouement pour le genre sans pour cela déclencher un véritable renouveau à sa suite : il ne suffit pas de mettre en scène des trolls et des dragons pour faire de la bonne Fantasy. Son intérêt majeur tient dans la force de la quête initiatique qui s'y développe : il faut des épreuves, des transformations du personnage, une évolution qui le portent vers plus de sagesse, comme une symbolisation du passage à l'âge adulte. C'est certainement pour cela que les adolescents en sont si friands.

ORIGINES

L'ODYSSÉE
Ⓐ HOMÈRE

Casterman (Epopée), 2006 (VIIIe siècle av. JC)

LA MALÉDICTION DES NIBELUNGEN

Gallimard Jeunesse, 2008 (XIIIe siècle)

LES CHEVALIERS E LA TABLE RONDE
Ⓐ ROBERT HOWARD

Casterman (Epopée), 2006 (XIIe siècle)

QUÊTE INITIATIQUE

LE MONDE DE NARNIA
Ⓐ CLIVE STAPLES LEWIS

Gallimard Jeunesse (Folio Junior) 2008 (1955), 7 vol

BILBO, LE HOBBIT
Ⓐ JOHN RONALD REUEL TOLKIEN

Livre de poche, 2010 (1937)

LE SEIGNEUR DES ANNEAUX : INTÉGRALE
Ⓐ JOHN RONALD REUEL TOLKIEN

Pocket (Fantasy), 2010 (1954-1955)

L'ASSASSIN ROYAL
Ⓐ ROBIN HOBB

J'ai lu (Fantasy), 2005 (1995) - 13 vol

L'HISTOIRE SANS FIN
Ⓐ MICHAEL ENDE

Le Livre de Poche, 2010 (1979)

TERRCMER
Ⓐ URSULA KROEBER LE GUIN

Le Livre de Poche (Science fiction), 2011 (1977)

HARRY POTTER
Ⓐ JOANNE KATHLEEN ROWLING

Gallimard Jeunesse (Folio Junior), 2007 (1997) - 7 vol

HEROIC FANTASY

CONAN
Ⓐ ROBERT HOWARD

Bragelonne, 2008 (1932)

HUMOUR

LES ANNALES DU DISQUE-MONDE
Ⓐ TERRY PRATCHETT

Pocket (Fantasy), 2010 (1983) - 33 vol

que lire…

…en fantasy après Harry Potter ?

SORCIERS, GRIFFONS, DRAGONS ET AUTRES TROLLS ! LA FANTASY FOISONNE DE PERSONNAGES IMAGINAIRES QUI VIENNENT, POUR CERTAINS, DE LÉGENDES OU DE MYTHES ANCIENS, POUR D'AUTRES, DE L'IMAGINATION INÉPUISABLE DES AUTEURS. Pour les rétifs du genre, ces romans ne sont que la répétition de mêmes décors, mêmes histoires, mêmes personnages. Pour les passionnés, c'est l'occasion de retrouver un univers bien codifié dont l'intérêt réside dans le talent de l'auteur à proposer d'infimes variations, à offrir d'autres chemins possibles au sein d'un territoire bien balisé. Voici quelques propositions pour commencer ou poursuivre un parcours dans l'univers de la magie et des mondes extraordinaires. Que la Quête commence !

Pour débuter avec les sorciers et les mages

* Verte 9+

Ⓐ MARIE DESPLECHIN

Il faut être prudent avec la sorcellerie, non ? Alors, pourquoi ne pas commencer doucement avec ce petit roman qui a fait ses preuves ? Pas de griffons ni de dragons ici, simplement une fille d'aujourd'hui âgée de 11 ans, Verte, issue d'une lignée de sorcières et qui aimerait bien vivre normalement, surtout ses rapports avec les garçons (et particulièrement avec Soufi). La magie est utilisée par l'auteure de manière humoristique : on est plus proche de Ma sorcière bien aimée *que des enchantements de Merlin !* Pome, *la suite, a paru en 2007.*

École des loisirs (Neuf), 2007 (1996) - 2 vol. - Verte - EAN 9782211089999 - 7,50 €

* Les mondes de Chrestomanci 11+

Ⓐ DIANA WYNNE JONES

*Diana Wynne Jones est une grande dame de la Fantasy, disparue en 2011 (*Le Château de Hurle*, adapté par le réalisateur de films d'animation Miyazaki sous le nom du* Château ambulant*, c'est elle !). Elle met en scène ici un frère et une sœur, Éric et Gwendoline, accueillis par le Mage Chrestomanci. Gwendoline a des pouvoirs mais les maitrise avec difficulté. Les cinq volumes de cette série sont remplis de malice et d'aventures, à l'image du premier.*

Gallimard Jeunesse (Folio Junior), 2007 (1992) - 5 vol.
1, Ma sœur est une sorcière - EAN 9782070612536 - 7,70 €

* L'Île des sorciers (L'Île du crâne ; Maudit Graal) 10+

Ⓐ ANTHONY HOROWITZ

Un jeune garçon qui intègre un collège de sorciers, ça vous dit quelque chose ? Eh oui ! Harry Potter avait un prédécesseur ! Mais s'il y a effectivement quelques ressemblances entre les deux récits, le style, l'histoire et le projet même des livres sont différents. Ceux qui n'ont pas lu Harry Potter *(si, il y en a !) seront enthousiastes, les autres prendront aussi plaisir à découvrir la verve d'Anthony Horowitz et peut-être à dénicher le reste de son œuvre. Le volume regroupe deux titres vendus aussi séparément.*

Hachette Jeunesse, 2006 (1991, 1997) - EAN 9782012010840 - 10,50 €

* Le maléfice 12+

Ⓐ CLIFF McNISH

Il y a de nouveau un frère et une sœur dans cette série, et, là encore, c'est la fille qui possède des pouvoirs importants. Mais Cliff McNish a un univers plus sombre que celui de Diana Wynne Jones. Il met en scène le combat de ces enfants contre une sorcière particulièrement cruelle. Ils vaincront, bien entendu. Mais la tonalité générale des récits les adresse à des lecteurs qui ne craignent pas de frissonner.

Gallimard Jeunesse, 2009 - 3 vol. - 1, Le maléfice - EAN 9782070626304
6,70 €

✱ GRIMPOW 13+

Ⓐ RAFAEL ÁBALOS

Certains ont comparé cette série au Nom de la Rose. *Il ne faut rien exagérer, mais il est vrai que le texte s'adresse à des bons lecteurs et prend tout son sens si l'on peut apprécier les références à l'Histoire et que l'on navigue déjà un peu dans l'ambiance de la Fantasy. Néanmoins, l'intrigue fonctionne d'elle-même et la Quête de Grimpow pourra aussi être une découverte.*

Albin Michel Jeunesse (Wiz), 2006 - 2 vol. - 1, Grimpow, l'élu des templiers
EAN 9782226170187 - 17 €

✱ OSCAR PILL 11+

Ⓐ ELI ANDERSON

Oscar, 13 ans, se révèle capable de voyager dans le corps humain. Il est un Médicus. Commencent alors pour lui un combat contre les forces du Mal et la Quête de ses origines. Sur ce schéma somme toute classique, l'auteur arrive à innover par le choix de l'environnement et par une vraie dynamique du récit.

Albin Michel, 2009 - 3 vol. - 1, La révélation des Médicus
EAN 9782226193575 - 19 €

✱ TARA DUNCAN 11+

Ⓐ SOPHIE AUDOUIN-MAMIKONIAN

On a parfois un peu de mal à retrouver l'ordre des volumes de cette série parue chez des éditeurs différents. Mais gageons que les jeunes n'auront pas ce problème ! Les romans valent surtout pour leur énergie : inutile de chercher trop de cohérence ni dans les personnages, ni dans l'écriture. Ce sont les rebondissements qui sont le moteur du feuilleton.

Pocket Jeunesse, 2007 - 5 vol. + Hors série - 1, Les sortceliers
EAN 9782266176545 - 7,40 €

✱ L'ÉPOUVANTEUR 12+

Ⓐ JOSEPH DELANEY

Septième fils d'un septième fils, Thomas peut devenir apprenti épouvanteur. Débute pour lui une initiation où il faut dominer sa peur. Le récit est bien mené, entre Fantastique et Fantasy et utilise habilement tous les ressorts du genre en y ajoutant une pincée d'horreur assez bienvenue.

Bayard Jeunesse, 20010 (2007) - 8 vol. - 1, L'apprenti épouvanteur
EAN 9782747017107 - 12,90 €

✱ MÉLUSINE 

Ⓐ FRANÇOIS GILSON Ⓘ CLARKE

Drôles et sympathiques, les aventures de Mélusine en bande dessinée font le bonheur des jeunes lecteurs (et de certains, plus âgés) depuis des années. Les illustrations, tout en rondeur, rythment ces histoires de magie qui ne se prennent pas trop au sérieux. Une lointaine cousine de Verte *?*

Milan Jeunesse (poche), 2007 (1995) - 1, Sortilèges - EAN 9782745926975 - 10,45 €

✱ L'APPRENTI D'ARALUEN 

Ⓐ JOHN FLANAGAN

Dans cet univers féodal au rendu assez crédible existe une « caste » des rôdeurs dotés de pouvoir qui permettent de protéger le Royaume. Et de sauver le Monde ? Une série aux ingrédients classiques mais qui donne au final un résultat très convaincant.

Le Livre de Poche Jeunesse (Fictions), 2009 (2007) - 6 vol.
1, L'ordre des rôdeurs - EAN 9782013223430 - 6,50 €

✱ MAGYK 

Ⓐ ANGIE SAGE

Complots de cour, enfant abandonnée qui est en fait une princesse, parcours initiatique, combat du Bien contre le Mal : la série est un habile mélange de ces ingrédients. On attend la suite avec impatience.

Albin Michel Jeunesse (Wiz), 2005 - 5 vol. - 1, Magyk
EAN 9782226157720 - 15,50 €

✱ LA CONSPIRATION MERLIN 

Ⓐ DIANA WYNNE JONES

Diana Wynne Jones reprend le thème du passage entre deux mondes, mais son talent permet un foisonnement d'inventions et de personnages originaux. Preuve que l'on peut toujours inventer à partir de structures déjà utilisées.

J'ai lu, 2009 (2008) - EAN 9782290016558 - 8 €

que lire...

...en Fantasy après Harry Potter ?

Mondes parallèles ou autres mondes

✱ La quête d'Ewilan 11+

Ⓐ PIERRE BOTTERO

Il existe une telle production de romans de Fantasy que lorsqu'une série allie à la fois un grand respect du genre, des personnages attachants, un récit entraînant et un réel plaisir de lecture, il faut la saluer comme il se doit. C'est le cas avec la quête menée par la jeune Ewilan pour sauver notre monde et celui de Gwendalavir dont elle est en fait issue. Malgré leur taille imposante, ces romans peuvent être lus par les plus jeunes et par des parents qui voudraient découvrir le genre. Pierre Bottero, malheureusement disparu en 2009, était vraiment un magicien de l'écriture.

Rageot, 2006 - 3 vol. - 1, D'un monde à l'autre - EAN 9782700231700 - 7,50 €

✱ Le secret du quai 13 11+

Ⓐ EVA IBBOTSON

Si l'auteure est à l'aise dans les grands romans « très XIXe » (Reine du Fleuve, L'Étoile de Kazan), elle sait aussi investir le domaine de la Fantasy. Grâce à une écriture empreinte de légèreté et une intrigue bien soutenue par un suspense efficace, ce roman qui joue, lui aussi sur le passage entre deux mondes, plaira aux plus férus d'imaginaire autant qu'à ceux cherchant de l'émotion.

Le Livre de Poche Jeunesse, 2009 (2005) - EAN 9782013228046 - 5,50 €

✱ Artemis Fowl 13+

Ⓐ EOIN COLFER

Quand le fils d'un magnat du crime, particulièrement intelligent, se met en quête de son père disparu en utilisant ses connaissances sur le peuple des Fées, cela peut faire des étincelles ! Les aventures de ce jeune héros de 12 ans sont bondissantes, haletantes et laissent peu de repos au lecteur. Un jubilant mélange de polar, de SF et de Fantasy à déconseiller aux contemplatifs ! Existe aussi en bande dessinée.

Gallimard Jeunesse (Folio Junior), 2007 (2001) - 7 vol. - Artemis Fowl
EAN 9782070612482 - 7,70 €

✱ Tobie Lolness 12+

Ⓐ TIMOTHÉE DE FOMBELLE

Belle invention que celle de ce petit personnage de Tobie, un millimètre et demi, et de son peuple des arbres ! Grâce à cet univers merveilleusement planté, l'auteur, venu du théâtre, peut mettre en scène des aventures haletantes et aborder les questions cruciales de notre société : énergie, sauvegarde de la nature, problèmes éthiques. Le succès de l'ouvrage est mérité, même auprès du lectorat adulte.

Gallimard Jeunesse (Folio Junior), 2010 (2006) - 2 vol. - 1, La vie suspendue
EAN 9782070629459 - 7,70 €

✱ Les mondes d'Ewilan 11+

PIERRE BOTTERO

Voici la suite de La Quête d'Ewilan *dans laquelle on retrouve avec bonheur notre héroïne. Cette trilogie est aussi efficace que la première ! Il en existe également une version « intégrale » en un seul volume ainsi qu'une intégrale de la première trilogie. À découvrir aussi :* L'Autre.

Rageot, 2007 - 3 vol. - 1, La forêt des captifs - EAN 9782700233025 - 7,50 €

✱ Le pacte des marchombres 11+

PIERRE BOTTERO

Après avoir obtenu le succès avec les six volumes d'Ewilan, voici que l'auteur développe une nouvelle série avec un autre des personnages de la Quête. Il exploite le filon, pourrait-on croire ! Eh bien non ! C'est aussi bien, aussi énergique, fait avec passion. On ne se moque pas du lecteur.

Rageot, 2010 - 3 vol. - 1, Ellana - EAN 9782700237702 - 7,50 €

✱ L'Héritage 

CHRISTOPHER PAOLINI

Quand Eragon, jeune berger, découvre une pierre étrange qui va se révéler être un œuf de dragon, il ne s'imagine pas à quel point cela va bouleverser sa vie. Un best-seller, adapté au cinéma, qui se lit d'une traite. Les fans de dragons, plus jeunes, pourront commencer avec Les Dragons de Nalsara.

Bayard Jeunesse (Les romans de Je bouquine), 2010 - 3 vol. - 1, Eragon
EAN 9782747033343 - 9,90 €

✱ Arrietty 

HIROMASA YONEBAYASHI

Cet album, tiré du film d'animation japonais projeté dans les salles en 2011, est l'occasion d'abord de saluer le Petit Peuple, ensuite de signaler les romans de Mary Norton, hélas épuisés, dont cette histoire est issue, et de terminer par l'évocation d'une autre adaptation cinématographique : Le Petit Monde des Borrowers. *Pour ceux qui passent leur temps à perdre des objets et se demandent s'il n'y a pas parfois des petits personnages qui les leur chapardent.*

P'tit Glénat, 2011 - EAN 9782723482455 - 17,90 €

✱ La trilogie de Bartiméus 12+

JONATHAN STROUD

Il faut se méfier quand on invoque les Djinns, on ne sait pas vraiment ce qui peut arriver, même si on a un projet précis (en l'occurrence, récupérer l'amulette de Samarcande) et qu'on est très intelligent. Ce qui est le cas de notre héros. Une trilogie tout à fait passionnante avec, en prime, un Djinn impayable à l'humour dévastateur.

Albin Michel Jeunesse (Wiz), 2003 - 3 vol. - 1, L'amulette de Samarcande
EAN 9782226143310 - 17 €

✱ Bone 10+

JEFF SMITH

Cette bande dessinée, publiée au départ en noir et blanc puis colorisée, véritable chef-d'œuvre d'humour et de Fantasy servie par un scénario passionnant, est injustement méconnue. Peut-être parce que son héros principal ressemble un peu à Casper ! Mais dépassez cette image et vous ne serez pas déçus.

Delcourt (Contrebande), 2007 (1996) - 9 vol. + HS - 1, La forêt sans retour
EAN 9782756006598 - 11,50 €

✱ La quête de l'oiseau du temps 12+

SERGE LE TENDRE · RÉGIS LOISEL

Comment faire quand on doit jeter un sort très long pour sauver le Monde mais qu'on manque de temps pour le faire ? Trouver l'oiseau (rare) qui peut stopper son écoulement, bien entendu. C'est le sujet de cette série culte qui n'a pas pris une ride. À faire découvrir d'urgence mais prudence, certaines autres séries pourraient souffrir de la comparaison !

Dargaud, 2003 (1983) - 4 vol. - 1, La Conque de Ramor
EAN 9782205048001 - 13,95 €

✱ Les Légendaires 

PATRICK SOBRAL

Des héros légendaires ont réussi à vaincre un magicien maléfique, mais ils l'ont payé cher : la force libérée par la pierre de Jovenia a fait retourner tout le monde à l'état d'enfance. Point de départ de cette série qui enthousiasme toujours autant les jeunes.

Delcourt, 2004 - 14 vol. - 1, La pierre de Jovénia - EAN 9782847894509
10,50 €

que lire...

...en fantasy après Harry Potter ?

Pour ceux qui veulent aller plus loin

✱ Le vent de feu 

Ⓐ WILLIAM NICHOLSON

Attention ! Chef-d'œuvre ! À chaque volume de la trilogie, les personnages principaux, trois enfants, vivent des aventures plus complexes et plus denses qui les amènent à devenir adultes. Le style de l'auteur porte ce récit à la fois avec grande efficacité mais aussi beaucoup de poésie. Il livre une véritable réflexion sur l'individu et la communauté, qu'elle soit celle d'un petit groupe ou celle de tout un peuple. Des romans à lire et relire tant ils ont le souffle des grands récits mythiques.

Gallimard Jeunesse (Folio Junior), 2007 (2000) - 3 vol.
1, Les secrets d'Aramanth - EAN 9782070612512 - 6,70 €

✱ Le donjon de Naheulbeuk 

Ⓐ JOHN LANG Ⓘ MARION POINSOT

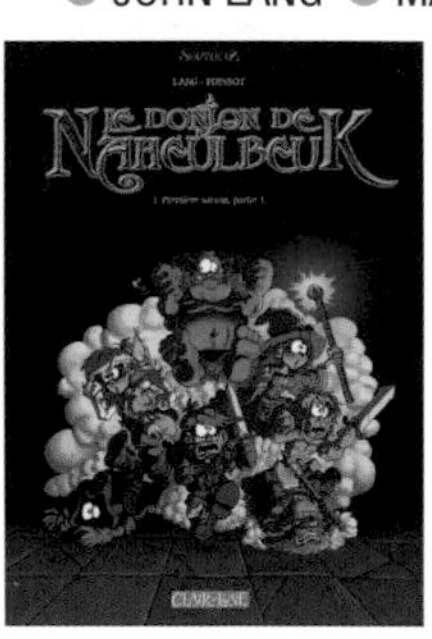

L'une des ramifications de la Fantasy, incarnée, entre autres par Terry Pratchett, se situe dans un courant humoristique. John Lang est certainement celui qui la représente le mieux en France. Il a créé un univers tout à fait original, soutenu également par un groupe musical, Naheulband, dans lequel il joue, et possède un véritable fan-club. Particulier, mais à explorer.

Clair de lune, 2005 - 9 vol. - Le donjon de Naheulbeuk
EAN 9782913714670 - 12,90 €

✱ Le dernier elfe 

Ⓐ SILVANA DE MARI

Au milieu de la production des romans de Fantasy classiques arrivent parfois des surprises plus littéraires, plus déroutantes : Le dernier Elfe *est de celles-là. Le récit est avant tout attentif à la psychologie des personnages et le lecteur se retrouve soudain à regarder les choses du point de vue d'un Elfe, encore enfant de surcroît (du moins au début). Et c'est souvent hilarant. L'auteure ne délaisse pas pour autant les péripéties, mais ce décalage permanent par un regard totalement « autre » est une expérience à vivre pour elle-même. N'est-ce pas là l'intérêt de tout bon roman ?*

Albin Michel Jeunesse (Wiz), 2005 - 2 vol. - Le dernier Elfe
EAN 9782226149558 - 15 €

✱ Les chroniques de Prydain 

Ⓐ LLOYD ALEXANDER

Un classique de la Fantasy anglo-saxonne (il date de 1968 !) peu connu en France. Il est de nouveau disponible et c'est l'occasion de découvrir ce beau roman initiatique qui a fait l'objet d'une adaptation cinématographique (le tome 3) par Walt Disney : Taram et le chaudron magique.

Hachette Jeunesse (Yokaï), 2008 (1985)
5 vol. - 1, Le livre des trois
EAN 9782012015913 - 12 €

✱ BJORN, LE MORPHIR 12+

Ⓐ THOMAS LAVACHERY

Mélange de réalité d'un moyen âge scandinave et de ses légendes, invention propre à l'auteur : cette série est pour le moins surprenante et conte la métamorphose d'un jeune garçon chétif en Morphir, guerrier terrible. Ce qui n'empêche pas l'humour et l'amour d'être présents comme dans toute bonne saga ! Adapté en BD par Thomas Gilbert et l'auteur.

École des loisirs (Médium), 2010 (2004) - 6 vol. - Bjorn le Morphir - EAN 9782211203913 - 11 €

✱ IL ÉTAIT UNE FOIS UN GARÇON, UN TROLL ET UNE PRINCESSE 11+

Ⓐ JEAN FERRIS

Ceux qui aiment les contes avec des princesses, les jeux de mots, l'humour décalé, bref, ceux qui ne sont pas allergiques à Shrek, version cinéma, *ont de grandes chances d'aimer ce roman dans lequel un garçon ayant été élevé par un troll doit bien prendre un jour son envol.*

Bayard Jeunesse (Estampille), 2005 - EAN 9782747010702 - 11,90 €

✱ CHÂTEAU L'ATTENTE 14+

ⒶⒾ LINDA MEDLEY

C'est une véritable réussite que cette bande dessinée qui revisite les contes classiques en mettant en avant des personnages secondaires, des histoires plus intimes, des questionnements contemporains. Avec une illustration en noir et blanc qui rappelle l'univers de Jeff Smith (voir Bone*) l'auteure installe une ambiance singulière, mélange de réalisme et d'imaginaire.*

Çà et là, 2007 - EAN 9782916207223 - 26 €

✱ SORCIER ! 12+

Ⓐ MOKA

Quand une auteure comme Moka décide d'aborder le genre de la Fantasy pendant huit volumes, on peut se douter qu'on ne va pas s'ennuyer ! Finn, son héros, adolescent fainéant qui se révèle (véritable ?) sorcier est un régal. Et tous les personnages sont à l'avenant. Intrigues complexes à souhait, humour : un parcours initiatique très maîtrisé.

École des loisirs (Neuf), 2006 - 8 vol. - 1, Menteurs, charlatans et soudards - EAN 9782211083225 - 10 €

✱ CHRONIQUES DU MONDE ÉMERGÉ 12+

Ⓐ LICIA TROISI

Demi-Elfe, Nihal va devoir sortir de son univers tranquille et combattre le tyran. Ce roman aux accents guerriers pourtant sensible à la quête intérieure de l'héroïne (Nihal doit « apprendre » ce qu'elle est) fonctionne parfaitement et n'a rien à envier à ses coreligionnaires. À voir aussi Les Guerres du monde émergé.

Pocket Junior, 2011 (2008) - 3 vol. - 1, Nihal de la Terre du Vent - EAN 9782266213905 - 7,90 €

✱ NOBLES GUERRIERS 14+

Ⓐ WILLIAM NICHOLSON

Plus ample et plus complexe que la première trilogie de l'auteur (Le Vent de feu)*, cette série est néanmoins passionnante et aborde, par le biais de trois personnages choisis pour être moines guerriers, les questions de la croyance et du pouvoir. Quels devoirs imposent le fait d'être un Élu ?*

Gallimard Jeunesse (Folio Junior), 2008 (2006) - 3 vol. - 1, Seeker - EAN 9782070572472 - 8,10 €

REGARD CRITIQUE

Le phénomène Harry Potter Pourquoi l'histoire d'un jeune sorcier qui va à l'école a-t-elle à ce point passionné les foules ?
Le phénomène est planétaire et a engendré dans son sillage un engouement pour le genre de la Fantasy que personne n'avait prévu. Avant cela, en France, la Fantasy était réservée à quelques fans ayant repéré leurs auteurs favoris grâce au travail de maisons d'édition spécialisées. Aujourd'hui, il n'est pas rare de trouver au moins une dizaine de titres chaque mois dans les nouveautés. Et cela concerne la plupart des éditeurs pour la jeunesse. **Harry Potter a certainement permis à cette littérature de l'imaginaire de devenir plus visible aux yeux du grand public.** Mais c'est au prix d'un malentendu car Harry Potter est presque un « genre » à lui tout seul.
Il associe certains éléments des contes et des mythologies à une catégorie de romans très anglo-saxon dont l'action se déroule au sein d'établissements scolaires, souvent de prestige.
Et J. K. Rowling a construit ses sept volumes comme autant d'étapes qui accompagnent son héros dans son évolution vers la maturité : une sorte de manuel d'apprentissage pour devenir adulte ! Ce qui est étonnant, et intéressant en tant que phénomène de société, ce n'est donc pas que les enfants se soient identifiés à Harry mais bien qu'autant d'adultes s'y retrouvent ! L'épilogue de la série est d'ailleurs certainement un clin d'œil malicieux de l'auteure pour les « adulescents ».

Galaxie POLAR

Le roman policier a gagné aujourd'hui ses lettres de noblesse et c'est un genre fortement plébiscité par le public adulte. On ne compte plus les best-sellers, des romans de Fred Vargas jusqu'à la vague *Millenium* qui a entraîné le surgissement d'un (presque) genre en lui-même : le polar nordique. Mais qu'en est-il de l'édition pour la jeunesse ? Un regard rapide sur le secteur tendrait à prouver que le genre se porte bien : les éditeurs continuent à produire de nombreux titres au travers de collections repérées. Les « classiques » sont régulièrement réédités et, même si beaucoup de collections disparaissent rapidement, certaines demeurent ou évoluent grâce à un subtil mélange d'auteurs confirmés et de nouveaux talents. Mais ce qui est rangé sous l'étiquette « roman policier » évolue de fait dans un éventail assez large. Le public jeune ne bénéficie souvent que d'un type de récit : le roman à énigme. Il faut attendre la production pour adolescents (ou préadolescents) pour voir apparaître des histoires plus noires, voire sanglantes. Certains auteurs n'hésitent alors pas à s'approcher d'univers qui pourraient paraître réservés aux adultes. Guillaume Guéraud, avec son roman *Je mourrai pas gibier* paru dans une collection pour adolescents, en a ainsi effrayé certains par la violence de son récit, les lecteurs oubliant au passage sa construction symbolique et esthétique. Car le roman policier est ancré dans le réel et semble ainsi brouiller la frontière entre la fiction et la réalité. Le même Guillaume Guéraud ayant pu écrire un roman de Science-Fiction se terminant par un massacre au lance-flammes sans s'attirer les moindres foudres. Il n'en reste pas moins que les adultes voulant conseiller les jeunes lecteurs doivent maîtriser les codes des différents genres du roman policier s'ils ne veulent pas décevoir ces derniers. Car les lecteurs profanes, jeunes ou adultes, ont souvent du mal à définir leur attente et il faut décrypter les goûts de chacun pour éviter de proposer un roman de « durs à cuire » à quelqu'un qui adore Hercule Poirot !

enquêtes

origine

Double assassinat dans la rue Morgue suivi de La lettre volée
Ⓐ EDGAR ALLAN POE

Gallimard Jeunesse (Folio Junior), 2010 (1844)

Le crime de l'Orient-Express
Ⓐ AGATHA CHRISTIE

Le Livre de Poche Jeunesse (Policier), 2007 (1934)

Le mystère de la chambre jaune
Ⓐ GASTON LEROUX

Gallimard Jeunesse (Folio Junior), 2007 (1908)

Une étude en rouge : la première enquête de Sherlock Holmes
Ⓐ ARTHUR CONAN DOYLE

Gallimard Jeunesse (Folio Junior), 2010 (1887)

ambiance noire

Le chat de Tigali
Ⓐ DIDIER DAENINCKX

Syros Jeunesse (Mini Syros polar), 2008 (1988)

Une incroyable histoire
Ⓐ WILLIAM IRISH

Syros Jeunesse (Souris noire), 2007

Bandits & voleurs

Arsène Lupin, gentleman-cambrioleur
Ⓐ MAURICE LEBLANC

Le Livre de Poche Jeunesse (Policier), 2007 (1905-1907)

Montmorency
Ⓐ ELEANOR UPDALE

Gallimard Jeunesse (Folio Junior), 2004 - 4 vol.

enfants enquêteurs

Le cheval sans tête
Ⓐ PAUL BERNAL

Librairie générale française, 1980 (1955)

Sans atout
Ⓐ PIERRE BOILEAU, THOMAS NARCEJAC

Gallimard Jeunesse (Folio Junior), 2007 (1971) - 8 vol

Emile et les détectives
Ⓐ ERICH KÄSTNER

Le Livre de Poche Jeunesse (Policier), 2007 (1929)

Le perroquet qui bégayait
Ⓐ ALFRED HITCHCOCK (ROBERT ARTHUR)

Le Livre de Poche Jeunesse (Policier), 2008 (1964)

Humour

Les frères diamants
Ⓐ ANTHONY HOROWITZ

Le Livre de Poche Jeunesse (Policier), 2009 (1986) - 4 vol

que lire…

…comme roman policier ?

DES ENQUÊTES TRADITIONNELLES JUSQU'AUX TEXTES QUI S'AMUSENT À DÉTOURNER LES CODES DU GENRE EN PASSANT PAR LES AMBIANCES NOIRES ET DÉRANGEANTES, LE ROMAN POLICIER OFFRE UNE MULTIPLICITÉ D'UNIVERS. La production éditoriale pour la jeunesse dans ce genre se repère facilement à travers des collections qui utilisent des maquettes immédiatement lisibles : utilisation du noir et du jaune, logos en forme de pistolet ou autres titres parlants. Il existe néanmoins de bons romans policiers dans des collections qui ne sont pas marquées comme telles. Ils tiennent alors le plus souvent des romans d'ambiance ou de société plutôt que des romans à énigme. Voici quelques pistes à suivre.

Enquêtes en tous genres

* émile et les détectives 9+

Ⓐ ERICH KÄSTNER

Émile prend le train tout seul pour la première fois et se fait voler son argent. Mais il en faut plus pour le désespérer : le voici qui se lance à la poursuite du voleur avec quelques nouveaux amis rencontrés pendant son voyage. Qu'a donc de particulier ce petit roman ? Réponse : c'est le modèle original de la plupart des romans policiers pour enfants écrits par la suite et dans lesquels les jeunes mènent l'enquête. Mais cela ne suffira pas à intéresser les enfants, pensez-vous ? Et vous aurez raison, ajoutons donc que l'histoire est restée palpitante et enlevée et que l'auteur ne manque pas d'humour. Et si votre jeune lecteur s'intéresse davantage à l'évasion qu'aux enquêtes, glissez lui Le 35 mai *du même auteur.*

Le Livre de Poche Jeunesse (Policier), 2007 (1929) - EAN 9782013223966 - 4,90 €

* meutres à l'abbaye : un recueil de trois enquêtes au moyen âge 10+

Ⓐ JACQUELINE MIRANDE

Dans la plus pure tradition du roman historique médiéval, ces trois romans, Double meurtre à l'abbaye, Crime à Hautefage *et* Ce que savait le mort de la forêt, *qui peuvent être trouvés séparément, ont tous pour cadre des enquêtes autour de la même abbaye. On ne s'ennuie pas une seconde à suivre ces intrigues, classiques mais efficaces, mises en scène par une auteure qui sait planter une ambiance et diffuse sa passion pour l'époque et le lieu. On pourra choisir les yeux fermés parmi ses autres récits.*

Flammarion (Castor Poche Senior), 2001 (1998) - EAN 9782081602991 - 7,20 €

* les enquêtes de logicielle 12+

Ⓐ CHRISTIAN GRENIER

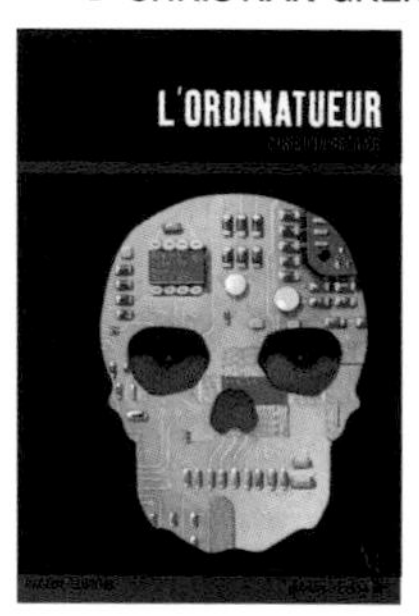

Elle s'appelle Laure-Gisèle, et elle est inspecteur de police. Ça commence mal ? Reprenons. Elle est surnommée Logicielle à cause de sa passion pour l'informatique et la voilà confrontée à une série de morts incompréhensibles : plusieurs personnes sont retrouvées sans vie devant leur ordinateur. A-t-on affaire à des ordinatueurs ? Même si la technique a évolué depuis la première parution de ce roman, l'intrigue, elle, n'a pas vieilli. Et rencontrer Logicielle ici, c'est à coup sûr la suivre dans le reste de ses aventures.

Rageot (Heure noire), 2004 (1997) - 9 vol. - 1, L'ordinatueur
EAN 9782700229134 - 7,30 €

* wiggins 10+

Ⓐ BÉATRICE NICODÈME

Voici une romancière qui a beaucoup écrit de textes pour la jeunesse et qui possède un réel talent pour les intrigues bien ficelées. Dans cette série, elle s'est inspirée d'un personnage de jeune garçon apparaissant dans des enquêtes de Sherlock Holmes et en a fait son héros principal. Et ça marche ! Le lecteur est dans l'ambiance du Londres du XIXe, *Wiggins a toutes les qualités des enfants délurés et vifs, personnages typiques des romans populaires de l'époque. Bref, on en redemande.*

Syros Jeunesse (Souris noire), 2009 - 6 vol. - Wiggins et le perroquet muet
EAN 9782748507027 - 4,95 €

✱ une étude en rouge : la première enquête de Sherlock Holmes 11+

Ⓐ ARTHUR CONAN DOYLE

Vous avez apprécié le Wiggins *de Béatrice Nicodème, eh bien retrouvez l'original dans ce roman de Conan Doyle. Mais peut-être, au contraire, l'aviez-vous déjà rencontré dans cette aventure de Sherlock Holmes ? Dans ce cas, Wiggins ne vous était pas inconnu. Cette histoire de vengeance est une bonne manière de pénétrer dans l'univers et les méthodes du célèbre détective.*

Gallimard Jeunesse (Folio Junior), 2010 (1888) - EAN 9782070631858 - 5,70 €

✱ sans atout 11+

Ⓐ PIERRE BOILEAU, THOMAS NARCEJAC

C'est la première histoire de la série de huit romans publiés par les deux compères, véritables légendes du roman policier français. Alors qu'il arrive dans le château de son enfance, que son père veut vendre, François (c'est le vrai prénom de Sans Atout) apprend qu'un cheval fantôme est récemment apparu. Son enquête commence.

Gallimard Jeunesse (Folio Junior), 2007 - 8 vol.
1, Sans Atout et le cheval fantôme - EAN 9782070577088 - 6,10 €

✱ les frères diamant 11+

Ⓐ ANTHONY HOROWITZ

Les duos ont fait et font encore les beaux jours de nombre d'histoires, surtout quand ils sont composés de personnages antinomiques. Cette série autour des frères Diamant n'y fait pas exception : Tim est détective privé, mais c'est son frère Nick, 13 ans, qui résout les enquêtes. Et cela dès le premier titre, Le Faucon Malté. *Les adultes apprécieront le clin d'œil.*

Le Livre de Poche Jeunesse (Policier), 2009 (1986) - 4 vol. - 1, Le Faucon Malté
EAN 9782013224215 - 5,50 €

✱ crime caramels 

Ⓐ JEAN-LOUP CRAIPEAU

Les conséquences d'une envie de caramels peuvent parfois être assez surprenantes. Le jeune Gilles va le découvrir à ses dépens : en essayant de subtiliser ses gourmandises favorites, il se retrouve avec un mort sur les bras. Un des classiques du roman policier jeunesse.

Syros (Mini Syros polar), 2008 (1987) - EAN 9782748505696 - 2,95 €

✱ croisière en meurtre majeur 12+

Ⓐ MICHEL HONAKER

Un homme tombe à la mer. Est-ce vraiment un accident ? C'est ce que va essayer de découvrir Sylvain d'Entragues, avec l'aide du compositeur Tchaïkovski embarqué sous un faux nom, lors de cette croisière du Havre à New York qui risque de ne pas être de tout repos. Michel Honaker met en scène, avec son talent habituel, un suspense haletant digne d'Agatha Christie.

Rageot (Heure noire), 2004 (1993) - EAN 9782700229240 - 7,10 €

✱ commissaire frolot 

Ⓐ YVES PINGUILLY

Yves Pinguilly n'a plus à prouver sa maîtrise du récit, qu'il soit historique ou policier. Cette série des aventures du commissaire Frolot est ancrée dans un quotidien actuel et bien rendu. Des enquêtes classiques qui ne décevront pas les lecteurs amateurs du genre.

Oskar (Polar), 2007 - 4 vol. - 1, Le commissaire Frolot mène l'enquête
EAN 9782350001197 - 12,50 €

✱ qui a tué minou-bonbon ? 8+

Ⓐ JOSEPH PÉRIGOT

Il convient de rendre hommage à Joseph Périgot qui a créé la collection Souris noire *en 1986, apportant ainsi le polar noir et contemporain dans la littérature pour la jeunesse, et saluer ce petit roman qui reste encore un plaisir de lecture. Au fait, Minou-Bonbon est un chat. Mais cela n'excuse pas le crime…*

Syros (Mini Syros polar), 2008 (1986) - EAN 9782748505719 - 2,95 €

✱ soda 12+

Ⓐ PHILIPPE TOME Ⓘ LUC WARNANT

La série démarre sur une idée géniale : Soda (David Solomon de son vrai nom) est flic à New York. Pour ne pas inquiéter sa mère, il lui a fait croire qu'il était pasteur. Mais quand son père meurt, Soda doit héberger sa mère, bien décidée à s'installer chez lui. Comment faire ? Quiproquos savoureux au milieu d'aventures trépidantes.

Dupuis, 1987 - 13 vol. - 1, Un ange trépasse - EAN 9782800115153 - 11,85 €

...comme roman policier ?

Regards sur la société

* Le chat de Tigali 9+

Ⓐ DIDIER DAENINCKX

Un des classiques de cette collection qui a amené les écrivains du polar noir français à écrire pour les plus jeunes. Ici, c'est Didier Daeninckx qui signe un très beau texte sur le racisme. Une famille s'installe dans le sud après avoir vécu en Algérie. Ils en ont ramené un chat qui aime à folâtrer et séduire les chattes du quartier. Un jour, le chat est retrouvé mort. Assassiné. Visiblement, tout le monde n'appréciait pas sa liberté et ses origines kabyles. Un roman qui peut se lire à tout âge, pour l'ambiance, l'histoire, le style.

Syros Jeunesse (Mini Syros polar), 2008 - EAN 9782748505689 - 2,95 €

* Je mourrai pas gibier 15+

Ⓐ GUILLAUME GUÉRAUD

Guillaume Guéraud est un styliste. Et un provocateur. Il mêle magistralement les deux dans ce récit fulgurant d'un massacre en règle qui pourra évoquer à certains Elephant *du cinéaste Gus Van Sant. Le roman ne laisse en tout cas pas indifférent et symbolise aussi la fin de l'adolescence. Mais dans une version « ange exterminateur ». On se situe entre le destin implacable des tragédies antiques et la vitesse d'exécution du jeu vidéo, en passant par les références cinématographiques. Le récit a été adapté en bande dessinée par Alfred. Les deux sont à réserver aux lecteurs assez mûrs.*

Rouergue (DoaDo Noir), 2006 - EAN 9782841567171 - 6,50 €

* Piste noire 15+

Ⓐ CHRISTINE BEIGEL

Trois garçons dans un compartiment de train. Et une fille, aussi, qui va vivre une nuit de cauchemar quand les trois jeunes vont se transformer en agresseurs. Un seul des violeurs se repent et se livre à la police : mais le remord ne retire rien au crime et à la culpabilité. L'auteure alterne le déroulement du crime avec les aveux d'un des coupables. Tous les éléments sont là mais ne peuvent expliquer ni justifier quoi que ce soit. Un récit qui oblige à s'interroger sur la possibilité que de tels actes soient commis.

Syros Jeunesse (Rat noir), 2006 - EAN 9782748504361 - 10,50 €

* L'affaire Jennifer Jones 15+

Ⓐ ANNE CASSIDY

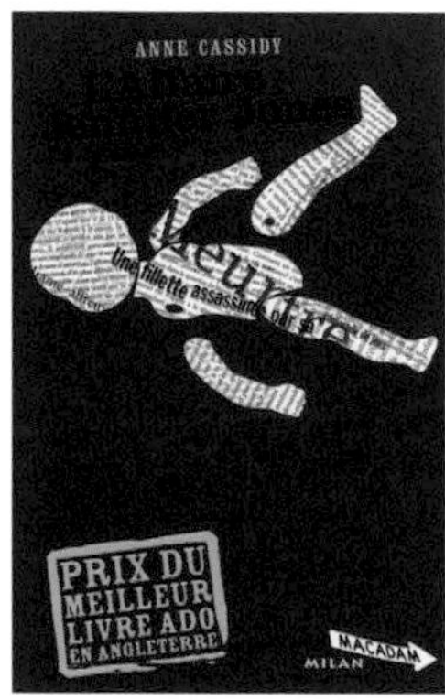

À 10 ans, Jennifer a été enfermée pour un acte ayant entraîné la mort d'une de ses amies. Six ans après, elle est remise en liberté sous un autre nom. Coupable un jour, coupable toujours ? Les médias et la société vont-ils laisser Alice (ex Jennifer) recommencer sa vie ? Et elle-même pense-t-elle que c'est possible ? En s'emparant de cette intrigue proche de faits divers plausibles, l'auteure examine par le biais de la fiction, les tréfonds de l'âme humaine et le fonctionnement de la société moderne. Un roman fascinant sur des questions très actuelles.

Milan Jeunesse (Macadam), 2006 - EAN 9782745918864 - 10,50 €

✱ Innocents 15+

Ⓐ ANNE CASSIDY

Un garçon s'accuse d'un acte qu'il n'a pas commis, sans raisons apparentes. Sa sœur enquête. Suspense, manipulations, sortie de l'enfance : l'auteure de L'affaire Jennifer Jones *explore de nouveau un cas de conscience avec un brio incontestable.*

Milan Jeunesse (Macadam), 2008 - EAN 9782745931207 - 9,50 €

✱ Carton noir 13+

Ⓐ STÉPHANE DANIEL

Olivier assiste pour la première fois à un match de foot. Mais il est dans une tribune de hooligans. Et quand la situation dégénère, il se retrouve accusé de meurtre. Il doit fuir pour prouver son innocence. Un polar rythmé et efficace par l'auteur des Mousquetaires de Belleville.

Magnard Jeunesse, 2003 (2001) - EAN 9782210969018 - 12 €

✱ Ippon 10+

Ⓐ JEAN-HUGUES OPPEL

Sébastien a une petite attirance pour la baby-sitter. Quand il va la rejoindre dans la cuisine, elle baigne dans une mare de sang. Un tueur est dans la maison et Sébastien n'a que deux avantages : sa connaissance des lieux et le judo. Un huis-clos terrifiant.

Syros Jeunesse (Souris noire), 2011 (1995) - EAN 9782748511161 - 5,95 €

✱ Code cool 13+

Ⓐ SCOTT WESTERFELD

Scott Westerfeld a obtenu un beau succès avec la série de science-fiction Uglies. *Avec ce titre, qui propose une enquête dans un monde branché, il s'avère aussi être un meneur d'intrigue assez retors et malicieux. Un livre à (re) découvrir, paru une première fois aux éditions du Panama et passé trop inaperçu.*

Gallimard Jeunesse (Pôle fiction), 2010 (2006) - EAN 9782070631162 - 6,60 €

✱ Comment j'ai tué mon père sans le faire exprès (Martin Pyg, innocent criminel) 15+

Ⓐ KEVIN BROOKS

Dispute, bousculade. Le père de Martin, saoul, se cogne la tête en tombant. Quand Martin constate qu'il est mort, il panique et n'appelle pas la police. Il attend. Et s'engage dans un engrenage de mensonges et de dissimulations. Le roman, paru sous des titres différents, est aussi troublant qu'original.

Milan Jeunesse (Macadam), 2007 - EAN 9782745930057 - 10,50 €

✱ Un tueur à la fenêtre 13+

Ⓐ STÉPHANE DANIEL

Quelqu'un tire depuis une fenêtre : Max est abattu sous les yeux de Lucas. L'adolescent ne comprend pas pourquoi son ami a été tué. À cause de ses fréquentations ? Est-ce une vengeance ? La police clôt rapidement l'enquête mais Lucas ne veut pas en rester là. Un suspense bien mené.

Rageot (Heure noire), 2007 (1991) - EAN 9782700231366 - 7,10 €

✱ On a volé le Nkoro-Nkoro 8+

Ⓐ THIERRY JONQUET

Trop tôt disparu, Thierry Jonquet savait mêler les sujets de société à des scénarios toujours surprenants grâce à un humour ravageur. Et il a écrit pour les jeunes avec la même exigence que pour les adultes. Cette histoire de cancres qui se mettent à avoir de bonnes notes le prouve, si besoin était. À découvrir aussi, la série des Lapoigne.

Syros Jeunesse (Mini Syros polar), 2010 (1986) - EAN 9782748509070 - 2,06 €

✱ L'étrange cas de l'assassinat de Katie la Fêlée 13+

Ⓐ PETER ABRAHAMS

Katie la Fêlée est assassinée. Et Ingrid, 13 ans, a oublié ses chaussures de sport chez elle. De peur d'être soupçonnée, elle décide d'aller les récupérer… et croit voir le meurtrier. La voilà partie dans son enquête. C'est enlevé et drôle à la fois. On retrouvera Ingrid avec plaisir dans La mystérieuse affaire d'Echo Falls.

Albin Michel Jeunesse (Wiz), 2007 - EAN 9782226177902 - 15 €

que lire...

...comme roman policier ?

D'autres univers à découvrir

* noir américain : nouvelles 15+

Ⓐ ARMAND CABASSON

Ces nouvelles mettent en scène des psychopathes, des tueurs, des flics, des rêves de vengeance… Avec un véritable talent pour les ambiances, l'auteur sculpte des scènes percutantes extrêmement visuelles. Chaque nouvelle porte une ambiance différente tout en restant cohérente avec l'ensemble du recueil. On navigue en plein feuilleton américain et on reste interloqué d'apprendre que l'auteur est français. Ce sera également une bonne manière de découvrir cette collection qui propose des nouvelles de tous genres et souvent de qualité.

Thierry Magnier (Nouvelles), 2008 - EAN 9782844206862 - 9,50 €

* blanche 15+

Ⓐ HERVÉ JUBERT

Ces enquêtes menées tambour battant par une jeune femme de 17 ans dans le Paris des années 1870 sont un régal autant pour les intrigues que pour le contexte historique rendu avec minutie par l'auteur. Les récits n'ont rien à envier aux feuilletons du XIXe siècle dont ils s'inspirent et les glissements assez fréquents vers le Fantastique ajoutent encore au piquant des péripéties de l'héroïne. Les lecteurs curieux de connaître l'univers de Blanche pourront le retrouver sur http://www.blanche-paichain.net

Albin Michel Jeunesse (Wiz), 2010 - 3 vol.
1, Blanche ou la triple contrainte de l'enfer - EAN 9782226209597 - 15 €

* quand la banlieue dort 12+

Ⓐ BENJAMIN GUÉRIF, JULIEN GUÉRIF

Pour se distraire, Mathieu aime s'introduire dans les maisons de ses connaissances pour découvrir leurs petits secrets. Mais un jour, il en découvre un gros qui risque de lui coûter cher. L'idée est originale et les personnages, ambigus, sont plutôt fouillés. C'est un vrai plaisir de lire ce roman très maîtrisé par ces deux jeunes auteurs qui font honneur à leur père : ils sont les fils de François Guérif, grand éditeur de romans noirs et codirecteur de la collection Rat noir.

Syros Jeunesse (Rat noir), 2009 - EAN 9782748507782 - 11,90 €

* sombres citrouilles 12+

Ⓐ MALIKA FERDJOUKH

Lors d'une fête de famille, les enfants découvrent un cadavre dans le jardin. Mais cette trouvaille macabre va révéler d'autres secrets et bien davantage de « cadavres dans le placard ». Malika Ferdjoukh se sert de tous les codes du polar pour mettre en scène les faux-semblants des familles aux allures trop parfaites. L'auteure maîtrise également humour et ironie et s'en sert à merveille. Les adeptes de ce détonnant mélange apprécieront Rome l'enfer *et* Fais-moi peur, *de la même auteure.*

École des loisirs (Médium), 1999 - EAN 9782211048514 - 9 €

✱ CRIMES PARFAITS : NOUVELLES POLICIÈRES 13+

CHOIX DE CHRISTIAN POSLANIEC

Rien de mieux pour avoir un éventail des différents courants du roman policier que de parcourir un recueil de textes variés, surtout quand ils sont choisis par Christian Poslaniec. De Maurice Leblanc à Donald Westlake, il y a là de quoi faire un bon parcours dans le Mauvais genre.

École des loisirs (Médium), 1999 - EAN 9782211052436 - 9,50 €

✱ NILS HAZARD 

Ⓐ MARIE-AUDE MURAIL

Ce roman est le premier d'une série de sept mettant en scène le même personnage de Nils Hazard, à l'enfance trouble, devenu spécialiste des Étrusques mais surtout fin enquêteur. Par une des plus prolifiques auteures pour la jeunesse et une des rares dont les lecteurs retiennent vite le nom pour suivre sa production.

École des loisirs (Médium), 2011 (1991) - 7 vol. - 1, Dinky rouge sang - EAN 9782211201803 - 7 €

✱ DISPARITION PROGRAMMÉE 

Ⓐ ROLAND SMITH

Le père de Jack est en prison pour trafic de drogue. Jack et sa famille vont bénéficier de la protection des témoins car le puissant cartel est à leurs trousses. Comment vivre un tel bouleversement ? Un sujet peu courant et magistralement traité, à suivre avec Témoins en danger.

Flammarion (Tribal), 2003 - EAN 9782081602830 - 8 €

✱ MONTMORENCY 

Ⓐ ELEANOR UPDALE

Cette série, située dans l'Angleterre victorienne, a une allure merveilleusement classique et c'est ce qui fait son charme. Montmorency est un ancien prisonnier devenu agent secret, mais qui ne cesse pas vraiment ses activités de voleur. Un mélange de Vidocq, de Chéri Bibi et d'Arsène Lupin. Mais anglais.

Gallimard Jeunesse (Folio Junior), 2004 - 4 vol. - 1, Montmorency - EAN 9782070557127 - 6,70 €

✱ AMI, ENTENDS-TU ? 

Ⓐ BÉATRICE NICODÈME

Pour les bons lecteurs qui se passionnent pour les intrigues sur fond d'Histoire, cette enquête policière dans le milieu de la Résistance sera idéale. Adultes et grands adolescents pourront poursuivre avec les autres titres de cette collection basée sur ce genre particulier du polar historique.

Gulf Stream (Courants noirs), 2008 - EAN 9782354880125 - 12,50 €

✱ JETTE 

Ⓐ MONIKA FETH

Ce premier volume d'une série où l'on suit deux jeunes adultes, Jette et Merle, offre une intrigue complexe autour d'un tueur en série. Le tout est assez noir mais extrêmement prenant. Le passage entre une littérature pour adolescents et une littérature pour adultes ? Un tout autre genre, mais dans la même collection que la série Twilight.

Le Livre de Poche Jeunesse (Jeunes adultes), 2011 - 3 vol. - 1, Le cueilleur de fraises
EAN 9782013229524 - 6,90 €

REGARD CRITIQUE

Les jeunes aiment-ils le roman policier ? Le roman policier pour la jeunesse a une histoire déjà ancienne. Romans à énigmes, enquêtes plus ou moins dangereuses effectuées par des enfants : ces genres ont été utilisés de multiples fois. L'éducation nationale s'en est d'ailleurs emparée et ce « mauvais genre » est aujourd'hui étudié en classe. Mais s'il est facile de proposer aux jeunes des récits d'enquête du type Agatha Christie, certains romans policiers axés sur l'atmosphère, le côté « noir » ou les questions de société sont moins immédiatement abordables. La collection *Souris noire* aux éditions Syros a été la première, dans les années 1980, à tenter de publier des textes pour les plus jeunes avec **une ambiance « polar »**. Mais si les adultes plébiscitent le genre, il n'est pas certain que les jeunes s'y retrouvent. Peut-être faut-il une certaine maturité pour apprécier un regard parfois acerbe et cruel sur le monde qui nous entoure ? Le roman policier pour la jeunesse, comme la Science-Fiction, est un genre qui a ses adeptes chez les enfants, mais ils sont en définitive assez peu nombreux à le réclamer et l'on retrouve moins de « mordus du polar » parmi le jeune public que chez les adultes.

Galaxie
Fantastique

Qu'est-ce que le Fantastique ? Genre accolé aux littératures dites de l'Imaginaire, comme la Science-Fiction et la Fantasy, le Fantastique a un côté plus sombre et plus dérangeant. Il va prendre une dimension particulière au XIXe siècle, en pleine époque romantique, avec la fascination pour le surnaturel. On n'hésite pas à faire tourner les tables tandis que les revenants semblent n'attendre qu'un appel pour se manifester. ! Le roman « gothique » s'installe : châteaux hantés, nuits d'horreur, possessions (*Le Horla* de Maupassant en est l'exemple type) sont au rendez-vous. Mais la particularité du Fantastique est de laisser, la plupart du temps, le lecteur libre d'interpréter les phénomènes décrits comme il le souhaite. Le cartésien affirmera que tout cela n'était qu'un rêve (ou un cauchemar) et que tout s'explique, l'adepte du surnaturel y verra le signe de l'Autre Monde. Pour résumer, dès qu'un récit décrit une chose qui ne devrait pas avoir lieu selon les lois de notre monde et qu'il est impossible de lui donner une explication définitive, c'est du Fantastique. Evidemment, les frontières entre les genres sont poreuses et mouvantes. L'épilogue d'Harry Potter, par exemple, pourrait faire douter le lecteur de la véracité de l'univers « Fantasy » installé par l'auteure au fil de tous les tomes précédents. Il reste néanmoins à aborder le mythe de Dracula, rattaché au Fantastique par son aspect gothique et sa proximité avec le monde des revenants. Les vampires et autres goules existent depuis fort longtemps mais Bram Stoker, avec son *Dracula*, a tant marqué les esprits qu'il est presqu'aujourd'hui impossible de parler de Vampire sans y faire immédiatement allusion. Pourtant, le mythe est régulièrement réinvesti voire affaibli : *Twilight* en est un bon exemple (voir page 69). Il n'est pas rare de constater que les avatars de Dracula perdent facilement leur côté sulfureux et ambigu dans des récits qui utilisent le mythe sans en explorer toutes ses zones d'ombre.

vampires

CARMILLA
Ⓐ JOSEPH SHERIDAN LE FANU

Le Livre de Poche (Classiques), 2004 (1871)

DRACULA
Ⓐ BRAM STOKER

Le Livre de Poche (Fantastique), 2009 (1897)

TWILIGHT
Ⓐ STEPHENIE MEYER

Le Livre de Poche Jeunesse (Jeunes adultes), 2011 (2005) - 4 vol

étrange

LE K
Ⓐ DINO BUZZATI

Pocket, 2004 (1966)

LE PASSE-MURAILLE ET AUTRES NOUVELLES
Ⓐ MARCEL AYMÉ

Gallimard Jeunesse (Folio Junior), 1996 (1943)

LES ARMES SECRÈTES
Ⓐ JULIO CORTÁZAR

Gallimard (Folio), 1995 (1959)

LE PORTRAIT DE DORIAN GRAY
Ⓐ OSCAR WILDE

Gallimard Jeunesse (Folio Junior), 2009 (1890)

ORIGINES

CONTES
Ⓐ ERNST THEODOR AMADEUS HOFFMANN

Ecole des loisirs (Classiques abrégés), 2011 (1819-1822)

HISTOIRES EXTRAORDINAIRES
Ⓐ EDGAR ALLAN POE

Le Livre de Poche (Classiques), 1994 (1841-1844)

CONTES ET RÉCITS FANTASTIQUES
Ⓐ THÉOPHILE GAUTIER

Le Livre de Poche (Classiques), 1990 (1833-1866)

L'ÉTRANGE CAS DU DR JEKYLL ET DE M. HYDE
Ⓐ ROBERT STEVENSON

Gallimard Jeunesse (Folio Junior), 2008 (1886)

PARANORMAL

SHINING
Ⓐ STEPHEN KING

Le Livre de Poche (Fantastique), 2007 (1977)

HORREUR

LE MYTHE DE CTHULHU
Ⓐ HOWARD PHILLIPS LOVECRAFT

J'ai lu, 2002 (1920)

… dans l'esprit de Twilight et du fantastique ?

LE MONDE DU SURNATUREL A TOUJOURS FASCINÉ L'HUMANITÉ. IL N'Y A PAS UNE CIVILISATION QUI N'AIT, SOUS UNE FORME OU UNE AUTRE, REPRÉSENTÉ DES ESPRITS OU IMAGINÉ COMMENT SE DÉROULE LE VOYAGE DANS L'AU-DELÀ. La tétralogie *Twilight* a renouvelé l'attrait pour les vampires, si besoin était, mais l'imagerie « gothique », le paranormal ou la possibilité de prétendus pouvoirs extra-sensoriels n'avaient jamais vraiment déserté l'intérêt des lecteurs. Et un maître de « l'horreur » comme Stephen King a encore de nombreux adeptes qui ont découvert son univers par ses livres ou leurs adaptations cinématographiques. La littérature pour la jeunesse n'est pas en reste et propose toute la gamme de l'étrange et de l'angoisse.

Du monde des vampires au royaume des morts

✱ Journal d'un vampire 15+

Ⓐ LISA JANE SMITH

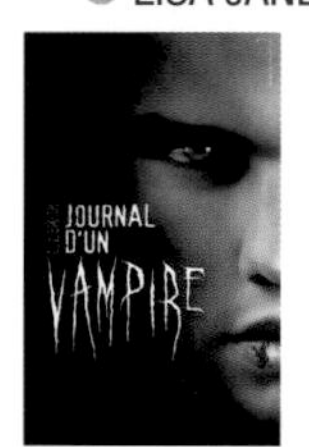

L'engouement pour la série Twilight *de Stephenie Meyer a ressuscité cette autre saga basée sur des principes assez similaires. Histoires d'amour, combats du Bien contre le Mal : tous les ingrédients sont là pour sortir en douceur d'une relecture en boucle de* Twilight*. Les fans pourront poursuivre avec* Le Journal de Stefan, *avant de passer à* Night World. *Mais ce sera seulement s'ils sont vraiment « accrocs » !* Journal d'un vampire *contient deux titres parus autrefois séparément :* La naissance *et* Princesses des ténèbres.

Hachette Jeunesse (Black Moon), 2009 (2000) - 5 vol. - 1, Le journal de Stephen
EAN 9782012017641 - 16 €

✱ Les étranges sœurs Wilcox 13+

Ⓐ FABRICE COLIN

Imaginez que vous vous réveilliez dans un cercueil. Un point de départ pas vraiment enthousiasmant, mais si c'est Fabrice Colin qui place ses deux héroïnes dans cette situation, vous pouvez être certain que la suite se révèlera pleine de mordant (!). Car les deux sœurs se découvrent vampires et leurs aventures les amèneront à croiser Sherlock Holmes, Dracula et Bram Stoker. Impossible de se prendre au sérieux dans ce brouillage entre fiction et réalité, qui n'empêche pourtant pas de trembler un peu.

Gallimard Jeunesse (Hors série littérature), 2009 - 3 vol.
1, Les vampires de Londres - EAN 9782070625932 - 13,50 €

✱ Le Protectorat de l'Ombrelle 15+

Ⓐ GAIL CARRIGER

Peut-on faire un roman original avec des vampires et des loups-garous, situé dans l'Angleterre victorienne ? Eh bien oui ! C'est le cas avec cette nouvelle série, grâce au personnage principal, Alexia Tarabotti qui, à défaut d'avoir une âme, ne manque pas de ressources. L'humour étant également au rendez-vous, les lecteurs qui ont épuisé (ou sont épuisés par) les histoires de vampires ne devraient pas être déçus. On attend les autres tomes avec impatience.

Orbit, 2011 - 5 vol. - 1, Sans âme - EAN 9782360510269 - 16,50 €

✱ Les chroniques des vampires 15+

Ⓐ ANNE RICE

Honneur aux anciens ! Anne Rice avait remis les vampires à la mode dès 1976 avec son fameux Entretien avec un vampire *adapté au cinéma en 1994. Avec la « fascination » actuelle pour les immortels, il ne faut pas hésiter à redécouvrir* Les chroniques des vampires *et* La Saga des sorcières Mayfair *qui n'ont rien perdu de leur charme envoûtant. Une bonne partie des romans d'Anne Rice est épuisée, mais il en reste assez de disponibles pour tenir éveillé toute la nuit.*

Plon, 2005 - 1, Cantique sanglant - EAN 9782259203302 - 23 €

✱ Les dents de la nuit : petite anthologie vampirique 12+

Ⓐ SARAH COHEN-SCALI

Sarah Cohen-Scali, qui n'hésite pas elle-même à explorer le domaine de l'étrange en tant qu'auteure, sous ce nom ou sous le pseudonyme de Sarah K, a concocté ici une sélection de textes, du XIXe à nous jours, dédiés aux croqueurs de carotides. Du romantique au terrifiant : à chacun son vampire ! Alors, pourquoi se priver ?

Le Livre de Poche Jeunesse, 2009 - EAN 9782013227865 - 4,90 €

✱ Les vampires de Manhattan 14+

Ⓐ MELISSA DE LA CRUZ

Une adolescente de 15 ans, évoluant dans un milieu très aisé, va découvrir qu'elle n'est pas tout à fait comme les autres. Serait-elle un vampire ? Pas de veine. Une série « pour ados » plutôt bien menée et suffisamment prenante pour donner envie de poursuivre la lecture.

Albin Michel Jeunesse (Wiz), 2007 - 6 vol. - 1, Les Vampires de Manhattan
EAN 9782226180001 - 13,50 €

✱ Petit Vampire 8+

Ⓐⓘ JOANN SFAR

Joann Sfar est un auteur et illustrateur de bande dessinée très productif qui a exploré de nombreux domaines. Il y avait peu de chance que les vampires lui échappent ! Il a donc créé pour les plus jeunes ce petit personnage sympathique de vampire pas bien effrayant mais très porté sur les rencontres pour le moins originales.

Delcourt, 2002 - 7 vol. - 4, Petit Vampire et la maison qui avait l'air normale
EAN 9782840557517 - 9,40 €

✱ Hush, Hush 15+

Ⓐ BECCA FITZPATRICK

Les vampires ayant fait recette et commençant à s'épuiser un peu, les anges sont venus à la rescousse et nous voici en plein combat entre les anges déchus et les autres. Les liens avec l'ambiance de Twilight *(amour, combat) sont suffisants pour passer avec plaisir à ces autres cieux. La suite,* Crescendo, *a paru aux éditions du Masque, dans la collection MSK.*

Pocket (Best), 2011 (2010) - EAN 9782266210492 - 7,40 €

✱ Bleach 12+

Ⓐⓘ TAITO KUBO

Autre versant du Fantastique : le monde des morts et des esprits. Si les Japonais ont un rapport différent du nôtre avec l'univers des fantômes, cela ne gênera pas la lecture de ce manga qui parlera à tous les passionnés de combats contre les esprits malfaisants. L'intrigue se complexifie au fil des volumes.

Glénat, 2008 - 44 vol. - 1, The death and the strawberry - EAN 9782723442275 - 6,90 €

✱ L'étrange vie de Nobody Owens 12+

Ⓐ NEIL GAIMAN

Une famille est décimée par un tueur. Le petit dernier s'échappe et est recueilli par… les spectres du cimetière voisin. Mais un vivant peut-il rester parmi les morts ? Neil Gaiman propose un voyage initiatique troublant et original pour son deuxième titre destiné à la jeunesse. C'est poétique, émouvant, terrifiant : un magnifique roman inspiré du Livre de la jungle.

Albin Michel Jeunesse (Wiz), 2009 - EAN 9782226189547 - 13,50 €

✱ Olivia Kidney et l'étrange maison de l'au-delà 12+

Ⓐ ELLEN POTTER

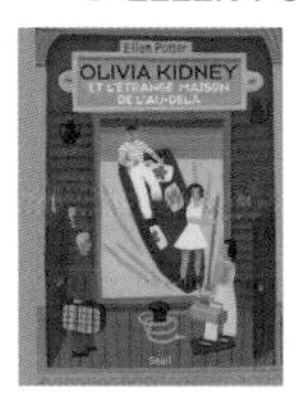

Ce roman est pour ceux qui aiment les histoires où des personnages communiquent avec les morts dans une ambiance plus humoristique et décontractée que morbide. Olivia navigue au milieu de personnages tous plus étranges les uns que les autres dans une maison qui fait fonction de passage vers l'au-delà. Le personnage d'Olivia apparaît dans une première histoire que l'on pourra lire avant celle-ci : Olivia Kidney.

Seuil (Fictions), 2007 - EAN 9782020930734 - 11 €

✱ Jack Perdu et le royaume des ombres 11+

Ⓐ KATHERINE MARSH

Mélange subtil de références littéraires et de clins d'œil à la mythologie, ce roman peut aussi se lire simplement pour l'histoire de Jack qui n'hésite pas à descendre aux Enfers pour en ramener sa mère. La relation entre les personnages et les rebondissements tiendront le jeune lecteur en haleine et les rencontres que fait Jack lui donneront peut-être envie d'aller voir du côté d'Orphée, de Dante, de Tenessee Williams et bien d'autres.

Albin Michel Jeunesse (Wiz), 2008 - EAN 9782226186034 - 12 €

... dans l'esprit de Twilight et du fantastique ?

Autres mondes et rencontres étranges

✱ Coraline 12+

Ⓐ NEIL GAIMAN

Quand l'un des plus talentueux auteurs de Fantasy et de Fantastique décide d'écrire pour les plus jeunes, cela donne Coraline, *un récit qui doit autant à Lewis Carroll qu'à Stephen King. Coraline a-t-elle réellement basculé dans un monde où ses parents ont des boutons noirs à la place des yeux ? Neil Gaiman est un maître du suspense et il sait jouer des non-dits et des situations critiques pour faire monter l'angoisse. Adapté en bande dessiné par P. Craig Russell et au cinéma (animation) par Henry Selick.*

Albin Michel Jeunesse (Wiz), 2009 - EAN 9782226193445 - 10 €

✱ Abarat 14+

Ⓐ CLIVE BARKER

Clive Barker avait déjà une carrière d'écrivain confirmé lorsqu'il s'est lancé dans cette histoire sur un monde parallèle, composé de 25 îles : 24 pour les heures de la journée, plus une « hors du temps », dans laquelle va se retrouver la jeune Candy Quackenbush. Au-delà du foisonnement de l'imaginaire, le plus intrigant tient peut-être dans les peintures de l'auteur illustrant le récit : un festival de couleurs où des personnages de Jérôme Bosch auraient été peints par Lucian Freud. Cette lecture est, sans conteste, une expérience à vivre.

Albin Michel Jeunesse (Wiz), 2002 - 2 vol. - 1, Abarat
EAN 9782226129741 - 24,50 €

✱ Quartier lointain 14+

Ⓐ JIRÔ TANIGUCHI

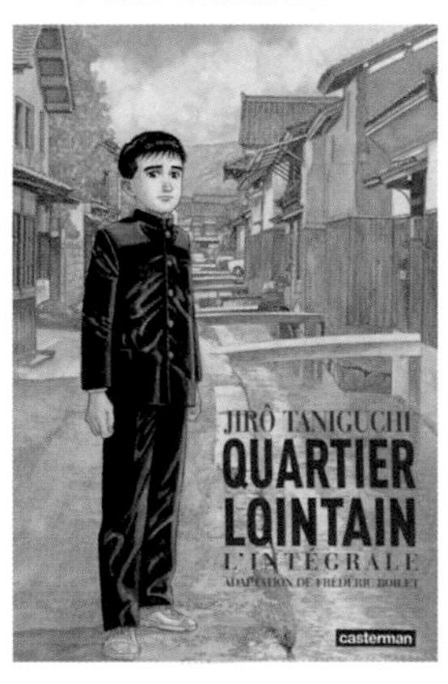

Le manga, ce n'est pas seulement Naruto, *c'est aussi* Quartier Lointain, *une superbe bande dessinée qui attirera les amateurs de narrations graphiques plus traditionnelles. Un homme se retrouve dans son corps de garçon de 14 ans, juste avant la disparition de son père. Pourra-t-il changer le passé ? Difficile de ne pas être ému par cette histoire bouleversante tenue par le trait sensible de Taniguchi qui, grâce à un scénario habile, évoque en quelques pages toutes les facettes de la condition humaine.*

Casterman (Écritures), 2010 - EAN 9782203030367 - 25,95 €

✱ No pasarán, le jeu 12+

Ⓐ CHRISTIAN LEHMANN

Éric, Thierry et Andreas ont trouvé LE jeu idéal. Premier problème : quand ils se mettent à jouer, ils sont emportés dans des conflits historiques bien réels. Second problème : Andréas semble y prendre goût. Impossible de ne pas être pris par ce récit époustouflant qui propulse le lecteur au milieu de la violence des guerres. Le lecteur contemporain, bien protégé, ne peut que s'interroger sur ce qu'il aurait fait dans les tranchées de Verdun ou pendant la guerre civile espagnole. Une manière de montrer que la violence n'est pas un jeu.

École des loisirs (Médium), 1996 - 2 vol. - EAN 9782211037112 - 9,50 €

✱ L'Indien du placard 12+

Ⓐ LYNNE REID BANKS

Les jouets n'ont pas attendu Toy Story *pour prendre vie. La figurine d'indien en plastique offerte à Omri va se transformer en véritable Indien une fois rangée dans le placard. Et l'histoire de leur relation se déroule sous nos yeux. Le livre a été adapté au cinéma par Franck Oz, génial marionnettiste, l'un des inventeurs du* Muppet Show *et réalisateur de* Dark Crystal.

École des loisirs (Neuf), 2006 (1989) - EAN 9782211084925 - 6,50 €

✱ Le pouvoir des cinq 

Ⓐ ANTHONY HOROWITZ

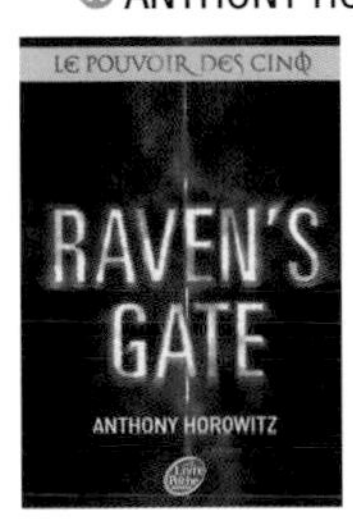

Anthony Horowitz a décidé de revisiter cette saga écrite à partir de 1983 et publiée en France sous différents titres dont Les cinq contre les Anciens. *Le combat de ces cinq adolescents contre les Anciens, représentant les forces du Mal qui veulent dominer le monde, reste basé sur la même trame générale, mais l'auteur a modifié les noms des héros, introduit des technologies modernes, redynamisé l'ensemble.*

Le Livre de Poche Jeunesse, 2009 (1990) - 4 vol. - 1, Raven's gate
EAN 9782013225670 - 5,50 €

✱ Bobby Pendragon 

Ⓐ DJ MACHALE

Fantastique ? Science-Fiction ? Fantasy ? À dire vrai, peu importe : les aventures de ce jeune garçon qui bascule dans un monde parallèle pour affronter les forces du Mal sont suffisamment passionnantes pour laisser le lecteur les classer dans le genre qu'il souhaite.

Le Livre de Poche Jeunesse (Fantasy), 2007 (2003) - 10 vol. - 1, Le marchand de peur
EAN 9782013223676 - 7,90 €

✱ Skellig 

Ⓐ DAVID ALMOND

Michael découvre un homme étrange dans la cabane, au fond du jardin de la maison où lui et ses parents viennent d'emménager. Qui est cet homme ? Est-il seulement réel ? Est-ce un ange échoué là ? Il fallait tout le talent de David Almond pour réussir ce récit sensible qui laisse le lecteur, une fois de plus, à la frontière entre le réel et l'imaginaire.

Flammarion (Castor poche La vie en vrai), 2004 (1998)
EAN 9782081645813 - 5,50 €

✱ Seuls 10+

Ⓐ FABIEN VEHLMANN Ⓓ BRUNO GAZZOTTI

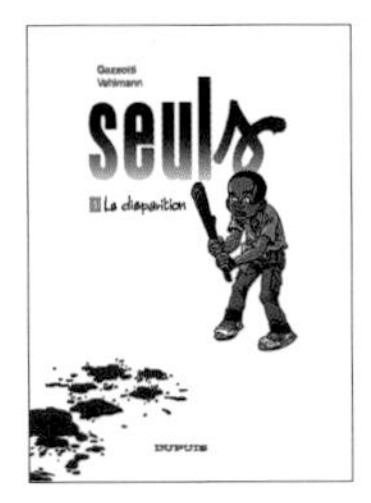

Un matin, tous les adultes ont disparu. Ne restent que cinq enfants qui doivent se débrouiller. Seuls. Cette série, au point de départ sous forme de gageure, continue de multiplier les surprises grâce à un scénario percutant et des dessins classiques mais parfaitement en osmose avec l'ambiance et le propos. Les adultes apprécieront également.

Dupuis, 2006 - 6 vol. - 1, La disparition - EAN 9782800136929 - 10,45 €

✱ Oscar, à la vie à la mort 11+

Ⓐ BJARNE REUTER

Un jour, Max trouve un lion sur son lit. C'est encombrant un lion. Et il faut s'en occuper. Il faut surtout que les adultes ne le découvrent pas. Mais tout cela est-il un rêve ou la réalité ? Les livres de Bjarne Reuter donnent toujours à voir le réel par un biais poétique et symbolique tout en restant extrêmement émouvants. Un auteur à connaître.

Le Livre de Poche Jeunesse, 2007 (2000) - EAN 9782013225977 - 4,90 €

✱ Le Gardien 

Ⓐ MALCOLM PEET

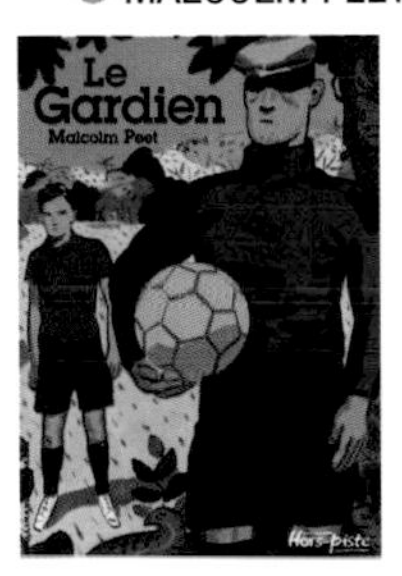

Ce roman serait-il le moyen d'attirer les garçons à la lecture ? Il raconte en effet comment un gardien de but, champion du Monde, a tout appris de son métier dans la forêt amazonienne, auprès d'un vieux footballeur. Mais que fait cet homme en tenue de sport à l'ancienne au milieu de la forêt ? Et comment un terrain de foot a-t-il pu surgir à cet endroit ? Étrange.

Gallimard Jeunesse (Hors piste), 2004 - EAN 9782070559299 - 10 €

✱ Steppe rouge 

Ⓐ JOHAN HELIOT

Johan Heliot fait partie de cette jeune génération d'auteurs qui explorent tous les genres de l'imaginaire. Dans ce roman, il met en scène un jeune noble russe qui a capturé Baba Yaga et compte bien se débarrasser d'elle et du vieux monde qu'elle représente. Mais la sorcière n'a pas l'air de cet avis. Un récit au rythme rapide et prenant du début à la fin.

Mango Jeunesse (Royaumes perdus), 2009 - EAN 9782740424773 - 9 €

... dans l'esprit de Twilight et du fantastique ?

Un peu plus loin dans l'angoisse ?

✱ Treehorn 8+

Ⓐ FLORENCE PARRY HEIDE Ⓘ EDWARD GOREY

Chaque jour, Treehorn rétrécit (alors que tous les enfants grandissent, c'est bien connu), mais personne ne semble s'en soucier. Trouvera-t-il le moyen d'inverser, seul, le processus ? Ce petit bijou avait paru sous le titre Théophile a rétréci *en 1979. Le texte et les illustrations jouent habilement sur l'ambiguïté entre réel et imaginaire : le lecteur découvre-t-il la réalité de cet enfant ou le résultat de son imagination ? Chacun choisira l'explication qui lui convient. Une série à voir absolument !*

Attila, 2009 (1971) - 3 vol. - 1, Le rapetissement de Treehorn
EAN 9782917084083 - 11 €

✱ Krabat 12+

Ⓐ OTFRIED PREUSSLER

Paru une première fois sous le titre Le maître des corbeaux, *ce roman revient aujourd'hui dans une traduction de Jean-Claude Mourlevat, ce qui ne peut qu'ajouter encore à la qualité de ce texte enchanteur. L'initiation de Krabat à la magie noire, dans la Bohême du XIIe siècle, résistera-t-elle au pouvoir de l'amour et du Bien ?*

Bayard Jeunesse (Millezime), 2010 (1994 - 1981) - EAN 9782747026079 - 11,90 €

✱ Les chats 11+

Ⓐ MARIE-HÉLÈNE DELVAL

Devenu quasiment un classique du genre, ce texte très maîtrisé reste angoissant même après de nombreuses relectures. Sébastien, en vacances, découvre un matin devant chez le vieux Da, un chat noir. Puis un pigeon mort. Bientôt, ce sont deux, puis trois chats qui arrivent. Les animaux tués sont de plus en plus gros. Et les chats continuent de se multiplier. Sans explication. On pense bien entendu aux Oiseaux *de Daphné Du Maurier adapté au cinéma par Alfred Hitchcock. Le roman en possède, à l'évidence, les mêmes qualités.*

Bayard Jeunesse (Les romans de Je bouquine), 2005 (1997)
EAN 9782747017176 - 5,80 €

✱ L'enfant d'argent 12+

Ⓐ CLIFF McNISH

Cliff McNish est de retour, après la série Le Maléfice *avec deux romans étranges. Un danger guette tous les enfants de la Terre. Certains d'entre eux sont amenés à se métamorphoser pour protéger les autres. Mais leur métamorphose peut aussi avoir des effets négatifs. Arriveront-ils à sauver la population malgré tout ? Un récit très original aux multiples interprétations possibles.*

Gallimard Jeunesse (Folio Junior), 2007 - 2 vol. - L'enfant d'argent
EAN 9782070610242 - 8,10 €

✱ Doppelgänger 14+

Ⓐ DAVID STAHLER

Les Doppelgänger doivent tuer des humains et investir leur corps pour survivre. Ils prennent, alors, pour un temps seulement, la place du disparu. Mais que se passe-t-il lorsqu'il s'avère que le mort était un personnage moins recommandable que le Doppelgänger qui l'a tué ? Voici un véritable récit d'horreur aux allures de questionnement philosophique.

Flammarion (Tribal), 2008 - EAN 9782081205765 - 12 €

✱ Le mystère du lac 

Ⓐ ROBERT McCAMMON

Ce très gros roman, à réserver à de bons lecteurs, offre un mélange de réalisme (histoire policière, Ku Klux Klan, Amérique des années 1960) et de fantastique (les faits évoqués ont peut-être des significations paranormales). Ceux qui auront le souffle de s'y précipiter n'en sortiront plus dès les premiers instants où le jeune Cory et son père assistent à un accident qui pourrait bien être un meurtre.

Le Livre de Poche (Fantastique), 2010 (1993) - EAN 9782253128212 - 7,50 €

✱ Le maître du rêve 

Ⓐ BARRY JONSBERG

Michael est obèse et le souffre-douleur d'une petite bande. Mais il a le pouvoir de s'échapper par le rêve et d'y changer le réel. Qui peut-on vraiment y croire dans ce roman qui perturbe tous les repères ? L'histoire passe du réalisme au fantastique à travers la puissance de l'écriture : mais finalement, n'est-ce pas l'auteur qui a le dernier mot ? Un roman à relire entièrement quand on arrive à la dernière ligne.

Flammarion (Tribal), 2008 - EAN 9782081202696 - 12 €

✱ Midnighters 

Ⓐ SCOTT WESTERFELD

Écrite avant la série Uglies *qui a fait le succès de l'auteur mais paraissant seulement maintenant en France, cette trilogie narre l'histoire d'adolescents ayant le pouvoir de naviguer dans la 25ᵉ heure, celle où le temps ne s'écoule plus et dans laquelle se sont réfugiés les Darklings qui dominaient autrefois la planète. Il ne faudrait pas qu'ils puissent de nouveau y arriver.*

Pocket Jeunesse (Moyens formats littéraires), 2008 (2004) - 3 vol. - 1, L'heure secrète - EAN 9782266164573 - 13,50 €

✱ Ce qu'ils savent 13+

Ⓐ CHARLIE PRICE

Croyez-vous aux médiums ? Murray entend les morts. C'est pour cela qu'il vient souvent au cimetière. Mais lorsqu'une jeune fille disparaît, que l'enquête piétine et que Murray pense l'entendre, son comportement semble davantage l'accuser que servir l'enquête. Un très beau roman qui sème le trouble dans les vérités cartésiennes.

Thierry Magnier (Roman), 2008 - EAN 9782844206374 - 11 €

✱ Charly 

Ⓐ DENIS LAPIÈRE Ⓘ MAGDA

Le petit Charly possède un jouet, un vaisseau spatial, qui recèle d'étranges pouvoirs. Il protège Charly, agresse toute personne qui le dérange. Mais qui a pris le contrôle : Charly ou le jouet ? Très vite, les autorités s'intéressent à ce jouet dangereux qui semble indestructible. Les illustrations très réalistes servent ce scénario tout en tension. Charly grandit au fil des épisodes et garde la trace de ce lien d'enfance avec le surnaturel.

Dupuis (Repérages), 2005 (1991) - 13 vol. - Charly : intégrale cycle 1 - EAN 9782800137537 - 25,95 €

Regard critique

De la même façon qu'Harry Potter a généré toute une production de Fantasy, *Twilight* a permis aux vampires de se retrouver un peu partout dans les romans, en particulier ceux destinés aux grands adolescents. Mais il y a, comme avec Harry Potter, une difficulté pour les lecteurs fans de la série de Stephenie Meyer de retrouver ce qui fait le charme de leur saga favorite. Car le récit est plus proche du roman sentimental que de *Dracula* et lire *Twilight*, ce n'est pas prendre soudain goût au Fantastique, même à tendance gothique. **Le Fantastique est un genre de l'ambigu et du doute, du suspense, ce qui ne sied pas forcément à tous les lecteurs.** Chez Stephenie Meyer, il y a également, comme avec Harry Potter, une construction basée sur une identification avec les personnages, ou du moins une projection possible assez forte. Difficile donc de retrouver le même engouement pour d'autres héros ! C'est la force et la limite des romans qui deviennent des phénomènes de société : ils créent une véritable dynamique de lecture, mais ils peuvent être aussi enfermant pour leurs lecteurs qui veulent lire encore et toujours « la même chose que *Twilight* ».

Science Fiction

Si la Science-Fiction relève de multiples sources, on peut reconnaître au moins à deux auteurs d'avoir posé quelques solides bases du genre : Jules Verne et H. G. Wells. Avec sa démarche orientée par la vulgarisation scientifique, Jules Verne a « inventé » des machines du futur en poussant à l'extrême les connaissances de son temps. Il a ainsi systématiquement tenté de justifier techniquement la possibilité de ce qu'il décrivait, même si, bien entendu, la plupart de ses inventions n'étaient qu'à leur balbutiement ou dans le cerveau de quelques utopistes. C'est un des fondements de la Science-Fiction : ce qui est décrit est justifié par une technique à inventer ou potentiellement réalisable. C'est pourquoi, par exemple, *Frankenstein* est considéré comme un roman de SF : le célèbre docteur utilise la science pour créer son monstre. Rien de magique derrière tout cela. H. G. Wells, quant à lui, en quelques romans, a décliné les principales thématiques qui irrigueront les romans de Science-Fiction ultérieurs : extra-terrestres, voyage dans le temps, expériences de savants fous. Si la Science-Fiction peut servir à faire rêver, elle est souvent l'occasion de poser un regard sur notre propre société en interrogeant les dangers potentiels de la science. Il existe aujourd'hui pléthore de sous-genre, du Space-Opera à l'Uchronie en passant par le Steampunk. Là encore, on range sous le vocable de Science-Fiction des récits qui se ressemblent peu : quel rapport entre un récit de batailles intersidérales et un autre décrivant ce qui se serait passé si Hitler avait gagné la Seconde Guerre mondiale ? Néanmoins, souvent derrière se pose la fameuse interrogation « et si ? ». À partir de cette question, les auteurs peuvent aussi bien développer des romans psychologiques chers à Denis Guiot (voir pages 78-79) ou se lancer dans la création de vaisseaux improbables et autres invasions de planètes. Mais les deux options ne sont pas forcément antinomiques : un Space-Opera peut aussi poser des questions existentielles.

EXTRA TERRESTRES

LA GUERRE DES MONDES
Ⓐ HERBERT GEORGE WELLS

Gallimard (Folio), 2005 (1898)

CHRONIQUES MARTIENNES
Ⓐ RAY BRADBURY

Gallimard (Folio SF), 2001 (1950)

LA STRATÉGIE ENDER
Ⓐ ORSON SCOTT CARD

J'ai lu, 1994 (1985)

MANIPULATIONS (GÉNÉTIQUES OU PAS)

L'ÎLE DU DOCTEUR MOREAU
Ⓐ HERBERT GEORGE WELLS

Gallimard Jeunesse (Folio Junior), 2000 (1896)

FRANKESTEIN
Ⓐ MARY WOLLSTONECRAFT SHELLEY

Gallimard Jeunesse (Folio Junior), 2010 (1818)

ROBOTS

BLADE RUNNER (LES ANDROÏDES RÊVENT-ILS DE MOUTONS ÉLECTRIQUES ?)
Ⓐ PHILIP KINDRED DICK

J'ai Lu, 2004 (1968)

LES ROBOTS
Ⓐ ISAAC ASIMOV

J'ai lu, 2004 (1950)

L'ESPACE

DE LA TERRE À LA LUNE
Ⓐ JULES VERNE

Le Livre de Poche Jeunesse, 2005 (1865)

FONDATION
Ⓐ ISAAC ASIMOV

Gallimard (Folio SF), 2009 (1951)

DUNE
Ⓐ FRANK HERBERT

Presses pocket, 1980 (1965)

2001 : L'ODYSSÉE DE L'ESPACE (LA SENTINELLE)
Ⓐ ARTHUR C CLARKE

J'ai Lu, 2003 (1951-1964)

POST APOCALYPSE

LE PASSEUR
Ⓐ LOIS LOWRY

L'école des loisirs (Médium), 1994

DEMAIN LES CHIENS
Ⓐ CLIFFORD SIMAK

J'ai lu, 2002 (1944)

LA PLANÈTE DES SINGES
Ⓐ PIERRE BOULLE

Pocket Jeunesse (Jeunes Adultes), 2004 (1963)

VOYAGE DANS LE TEMPS

LA MACHINE À EXPLORER LE TEMPS
Ⓐ HERBERT GEORGE WELLS

Gallimard Jeunesse (Folio Junior), 2010 (1895)

que lire...

... quand on aime la science-fiction ?

LA SCIENCE-FICTION POUR LA JEUNESSE BÉNÉFICIE D'UNE VISIBILITÉ MOINDRE QUE LE ROMAN POLICIER OU QUE LA FANTASY. C'EST UN GENRE QUI POSSÈDE MOINS DE COLLECTIONS IMMÉDIATEMENT IDENTIFIABLES ET AUSSI MOINS DE LECTEURS PASSIONNÉS, CE QUI EXPLIQUE PEUT-ÊTRE LA RELATIVE FRILOSITÉ DES ÉDITEURS. Néanmoins, d'une manière ou d'une autre, l'édition pour la jeunesse offre de nombreux livres autour du genre, mais pas forcément à l'intérieur de collections bien repérées : elle fait de la Science-fiction sans le dire. C'est pourquoi il y aura, dans la sélection qui suit, de nombreux titres dont rien ne permet de savoir, au premier abord, s'ils appartiennent à la SF. Ce qui permettra peut-être que les rétifs au genre les découvrent aussi !

Des sociétés différentes (ou presque) de la nôtre...

✱ méto 12+

Ⓐ YVES GREVET

Pour sa première incursion dans la Science-Fiction, Yves Grevet a réussi une trilogie de facture classique qui permettra aux moins convaincus par le genre de le découvrir avec bonheur. L'histoire débute dans une sorte d'orphelinat au sein duquel les enfants disparaissent dès que leur taille et leur poids font craquer leur lit. D'où viennent-ils et surtout où vont-ils une fois trop grands ? Méto, l'un d'entre eux, a décidé de le savoir. L'auteur, qui ménage la tension sur les trois épisodes, mêle le roman d'anticipation condamnant le totalitarisme et le roman d'aventures entre enfants. Suffisamment complexe sans être compliqué.

Syros Jeunesse, 2008 - 3 vol. - 1, La maison - EAN 9782748506884 - 14,90 €

✱ Hunger Games 12+

ⒶⒶ SUZANNE COLLINS

Dans cette Amérique devenue totalitaire, l'État organise un jeu télévisé que tout le monde doit regarder : 24 enfants de 12 à 18 ans sont choisis pour se battre à mort. Une histoire d'amour entre deux de ces Hunger games va enrayer cette terrible organisation. Les ingrédients ont été largement utilisés, mais c'est bien ici l'art de la romancière qui redonne du souffle à ce qui aurait pu être un énième roman post-apocalyptique. En mêlant réalisme, violence et action, Suzanne Collins revisite autant le genre de la tragédie que celui de la SF.

Pocket Jeunesse (Grands formats), 2009 - 3 vol. - 1, Hunger games
EAN 9782266182690 - 17,90 €

✱ entre chiens et loups 12+

Ⓐ MALORIE BLACKMAN

Les Primas ont le pouvoir, autant sur le pays que sur les Nihils qui, malgré tout, n'hésitent pas à se rebeller parfois. Néanmoins, les Nihils n'ont souvent d'autre choix que de servir les Primas. Or, Callum, fils d'un rebelle et Stephy, fille de dirigeant, s'aiment. Du déjà vu ? Oui, mais l'auteur a eu l'originalité de proposer une inversion intéressante : les puissants sont noirs, les pauvres sont blancs. Lire cette histoire, par ailleurs forte et tragique, avec cette inversion à l'esprit est un exercice salvateur pour pointer les clichés bien ancrés dans les mentalités de chacun.

Milan Jeunesse (Macadam), 2005 - 4 vol. - 1, Entre chiens et loups
EAN 9782745918499 - 11,50 €

✱ Le passeur 12+

Ⓐ LOIS LOWRY

Lois Lowry est l'une des plus grandes auteures de la littérature de jeunesse, capable de produire des récits humoristiques ou tragiques avec la même réussite. Le Passeur *est devenu une référence dans le domaine du roman mettant en scène des mondes totalitaires. Dans celui-ci, chaque enfant est désigné pour un métier précis. Jonas, lui sera Passeur. Il va ainsi découvrir la terrible réalité de son monde. À lire ensuite :* L'élue et Messager.

École des loisirs (Médium), 1994 - EAN 9782211021661 - 9 €

✱ La déclaration 13+

Ⓐ GEMMA MALLEY

Et s'il y avait un jour des enfants appelés les Surplus ? Des enfants qui n'auraient pas dû naître puisque, désormais, chacun peut choisir d'être immortel à condition de ne pas se reproduire. Alors, qui sont et d'où viennent ces « erreurs » gardées dans le pensionnat de Grange Hall ? La trilogie emporte le lecteur dans un monde futuriste qui n'est pas si loin du nôtre.

Naïve (Naïveland), 2007 - 3 vol. - 1, L'histoire d'Anna - EAN 9782350211220 - 16 €

✱ À la poursuite des Humutes 8+

Ⓐ CARINA ROZENFELD

Dans une société où certains humains sont en train de muter, ceux qui sont encore « normaux » pourchassent ceux qu'ils appellent les Humutes. Tommy craint d'être en train de devenir l'un d'eux. Un roman très court et percutant, hommage direct à A. E. Van Vogt et son À la poursuite des Slans.

Syros Jeunesse (Mini Syros Soon), 2010 - EAN 9782748508826 - 2,95 €

✱ La maison du Scorpion 13+

Ⓐ NANCY FARMER

Un parrain de la drogue, Le Scorpion, a atteint l'âge de 140 ans. Mais ce n'est pas naturel : il garde dans sa maison des clones qu'il utilise dès qu'une partie de son corps fait défaut. Matt est l'un d'entre eux mais contrairement aux autres, il a gardé ses facultés mentales et comprend donc la vérité. Un roman époustouflant sur le pouvoir, l'humanité et la technologie.

École des loisirs (Médium), 2005 - EAN 9782211071857 - 12 €

✱ V-Virus 14+

Ⓐ SCOTT WESTERFELD

Scott Westerfeld se réapproprie le mythe du vampire mais en utilisant le virus (on pense au Sida) à la place de la morsure traditionnelle tout en introduisant une réflexion sur la place de ces « vampires », finalement utiles, dans la société. Plus complexe que les autres romans pour la jeunesse de l'auteur, ce V-Virus *est néanmoins fascinant. À lire, la suite :* A- Apocalypse.

Milan Jeunesse (Macadam), 2007 - 2 vol. - 1, V-Virus
EAN 9782745926104 - 11,50 €

✱ Urban mix'up 13+

Ⓐ NICOLAS THOMAZIC

Il faut signaler ce premier roman de l'auteur qui décrit un monde du XXIIe siècle dans lequel les pauvres vivent sous terre et les riches à l'air libre, et qui parle simplement de la société d'aujourd'hui. Une écriture chaloupée sert un récit assez dur et même si l'environnement futuriste est un simple décor, le tout fonctionne très bien.

Sarbacane (Exprim'), 2008 - EAN 9782848652412 - 9,50 €

✱ Le combat d'hiver 15+

Ⓐ JEAN-CLAUDE MOURLEVAT

Avec ce Combat d'hiver, *l'auteur a publié un texte plus long et plus dense que ses précédents romans pour la jeunesse. Ce récit mettant en scène la révolte de jeunes orphelins qui ont découvert leur passé s'ancre dans la lignée des prédécesseurs du genre (condamnation d'une société totalitaire, rébellion des jeunes) mais surprend par certaines scènes dues à la puissance imaginative de l'auteur. À lire aussi :* Le Chagrin du roi mort *et* Terrienne.

Gallimard Jeunesse (Pôle fiction), 2010 - EAN 9782070695768 - 6,60 €

✱ Virus L.I.V. 3 ou La mort des livres 12+

Ⓐ CHRISTIAN GRENIER

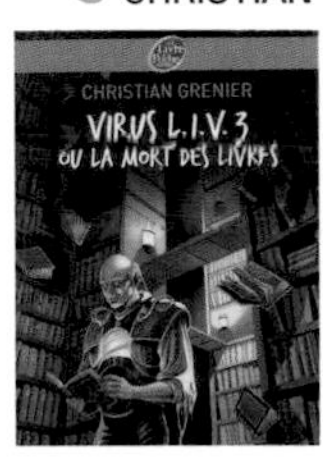

Christian Grenier est l'un des pionniers de la Science-Fiction pour la jeunesse. Il propose ici un roman où se combattent les Zappeurs, adeptes de l'écran et les Lettrés, portés sur les livres et la littérature. Or les Zappeurs ont mis au point un virus qui pourrait détruire les livres. La métaphore est évidente, le récit se lit avec plaisir et s'avère bien moins manichéen qu'il ne pourrait paraître.

Le Livre de Poche Jeunesse, 2007 (1998) - EAN 9782013224123 - 4,90 €

✱ La brigade de l'œil 13+

Ⓐ GUILLAUME GUÉRAUD

Ceux qui connaissent l'œuvre de Guillaume Guéraud savent qu'il utilise volontiers la mise en scène littéraire de la violence dans une esthétique d'inspiration très cinématographique. Rien d'étonnant alors qu'il ait choisi de réinvestir dans ce roman les thématiques abordées par Ray Bradbury dans Fahrenheit 451, *mais en remplaçant les livres par les images et les films.*

Rouergue (DoaDo Noir), 2007 - EAN 9782841568635 - 14 €

… quand on aime la science-fiction ?

Des parcours initiatiques et des villes du futur

* Le chaos en marche 14+

Ⓐ PATRICK NESS

Il arrive, de temps en temps, en littérature pour la jeunesse comme ailleurs, qu'un roman dépasse les autres de par la force de son sujet et la qualité de son écriture. La trilogie du Chaos en marche *est, de ce point de vue, largement au-dessus de la production. Sur cette planète où les femmes ont été décimées par le même virus qui a rendu les pensées des hommes audibles à tous, le jeune Todd doit fuir face à la folie du Maire de la ville, assoiffé de pouvoir. Mais il faudra bien qu'il l'affronte car il semblerait que Todd ignore beaucoup de choses. En particulier que les femmes ne sont pas toutes mortes. Science-Fiction, western, récit initiatique, histoire d'amour : un roman total impossible à résumer. À lire de toute urgence.*

Gallimard Jeunesse (Pôle fiction), 2010 (2009) - 3 vol. - 1, La voix du couteau
EAN 9782070634354 - 8,50 €

* Everworld 14+

Ⓐ KATHERINE APPLEGATE

Everworld est un monde parallèle peuplé de toutes les divinités que les humains ne vénèrent plus, du Panthéon grec à celui des dieux nordiques en passant par les Mayas et bien d'autres. Des extra-terrestres ont déjà tenté d'en prendre possession pour arriver dans notre monde. La « porte » entre les deux univers est une certaine Senna, sorcière de son état, qui entraîne derrière elle quatre adolescents qui devront survivre au milieu de toutes ces divinités dangereuses et imprévisibles. Cela semble compliqué ? À résumer seulement, car ces trois énormes volumes se lisent d'un trait : le récit alterne le regard de chaque personnage, ce qui dynamise encore le tout, et leurs aventures sont à couper le souffle.

Gallimard Jeunesse, 2002 (2000) - 3 vol. - 1, À la recherche de Senna
EAN 9782070535941 - 15 €

* À la croisée des mondes 14+

Ⓐ PHILIP PULLMAN

Cette trilogie, dont le premier volume a été médiocrement adapté au cinéma, est un véritable chef-d'œuvre qui mérite de figurer dans les classiques tant il peut se lire et se relire à tout âge. Le parcours de Lyra, jeune fille « élue » pour sauver le Monde (mais qui ne le sait pas) regorge de péripéties haletantes et de moments d'émotion qui arracheront des larmes aux plus insensibles. Philip Pullman a réussi à écrire une histoire digne des mythes : elle peut se lire pour le plaisir de sa trame, pour les symboles qu'elle recèle et pour les références sur lesquelles elle s'adosse. Les plus jeunes aimeront suivre Lyra, les amoureux de la littérature pourront y voir les emprunts à la philosophie et au Paradis perdu *de Milton, les scientifiques y retrouveront les découvertes les plus récentes. Tous en sortiront changés.*

Gallimard (Folio Junior), 2007 (1998) - 3 vol. - 1, Les royaumes du Nord
EAN 9782070615025 - 7,30 €

* La trilogie Morgenstern 15+

Ⓐ HERVÉ JUBERT

Jack l'Éventreur refait des siennes. Une prostituée a été découverte assassinée dans Whitechapel. Mais nous sommes en fait dans un décor, une ville pour touristes, dans un futur indéfini, où sont reconstitués des quartiers de différentes cités à des époques anciennes. Raison de plus pour que Jack l'éventreur soit plutôt improbable dans ce Londres du XIX*e siècle de pacotille. La sorcière Roberta des affaires criminelles, et son jeune assistant vont enquêter. Il ne faut pas être trop émotif pour entrer dans cette trilogie par le meurtre d'une jeune femme, mais les bons lecteurs, amateurs de suspense, d'humour (plus ou moins macabre), de sorcellerie et d'Histoire y trouveront largement leur compte.*

Seuil (Points Fantasy), 2008 (2002) - 3 vol. - 1, Le quadrille des assassins
EAN 9782757803318 - 7,50 €

✱ L'enfant satellite 8+

Ⓐ JEANNE-A DEBATS

Un enfant, conçu spécialement pour vivre dans un vaisseau de surveillance, se prend d'affection pour une petite fille blessée dans un territoire en guerre. En quelques pages, l'auteure réussit à rendre palpable le fait qu'il y a toujours le choix de rester humain, même lorsque toutes les conditions sont requises pour que vous agissiez comme une machine.

Syros Jeunesse (Mini Syros Soon), 2010 - EAN 9782748508833 - 2,95 €

✱ Pendant la boule bleue 13+

Ⓐ MANUELA DRAEGER

Pour qui veut être surpris et dérouté, pour qui aime l'humour absurde et décalé, il n'y a pas d'autres choix que de se précipiter sur les aventures de Bobby Potemkine, cet étrange enquêteur évoluant dans un monde post-apocalyptique indéfinissable. Vous n'avez jamais rien lu de semblable. Manuela Draeger est l'un des nombreux noms d'Antoine Volodine (qui est aussi un pseudonyme) et c'est tout à l'honneur de L'École des loisirs d'offrir au jeune public cet auteur à l'univers si particulier.

École des loisirs (Médium), 2002 - 9 vol. - EAN 9782211066051 - 6 €

✱ La quête d'espérance 12+

Ⓐ JOHAN HELIOT

Dans une ambiance, qui rappelle celle de Dune *de Franck Herbert, où les ressources énergétiques sont un enjeu majeur de survie, Johan Heliot développe un roman de piraterie dans la grande tradition. Mais ici, les vaisseaux sont des vers géants qui ondulent sur le sable. L'auteur agrémente le tout par le thème classique de l'enfant « élu ». Une belle réussite à la portée des jeunes lecteurs.*

Atalante Jeunesse, 2009 - 3 vol. - 1, Izaïn, né du désert
EAN 9782841724796 - 10 €

✱ Dans les larmes de Gaïa 12+

Ⓐ NATHALIE LE GENDRE

Deux adolescents que tout oppose se rencontrent au sein d'une sorte d'Arche de Noé conçue après un cataclysme. Lui est le fils du créateur de l'Arche, elle, est simple fille de pêcheur. À eux deux, ils symbolisent l'avenir de l'Humanité. Avec ce premier roman, Nathalie Le Gendre révélait un talent confirmé par la suite. Son récit croise habilement les mythes fondateurs et les problèmes actuels. Sans oublier les éternelles histoires d'amour.

Mango Jeunesse (Autres mondes), 2009 (2003) - EAN 9782740426265 - 9 €

✱ Yoko Tsuno 11+

ⒶⒾ ROGER LELOUP

Bande dessinée « historique », Yoko Tsuno a été l'une des premières séries à mettre en scène une héroïne, ingénieure de surcroît. Bien que très classique d'aspect, cette bande dessinée continue de réjouir ses lecteurs fidèles et ne demande qu'à être découverte par les autres.

Dupuis, 2006 (1972) - 25 vol. (dont 8 en intégrale) - De la Terre à Vinéa : l'intégrale 1 - EAN 9782800138404 - 19,95 €

✱ Mécaniques fatales 12+

Ⓐ PHILIP REEVE

Si l'auteur n'avait eu que cette belle idée de villes mobiles dont les plus grosses poursuivent les petites pour les engloutir, on aurait déjà pu lui en être reconnaissant. Mais il ne s'est pas arrêté là et a construit une tétralogie aux ressorts infatigables, multipliant les complots, actions et autres découvertes.

Gallimard Jeunesse (Folio Junior), 2007 (2003) - 4 vol. - Mécaniques fatales
EAN 9782070575893 - 7,70 €

✱ Les cités obscures 14+

Ⓐ BENOÎT PEETERS Ⓘ FRANÇOIS SCHUITEN

Faut-il encore présenter cette œuvre à la fois graphiquement superbe et aux scénarii envoûtants, changeant et évoluant au fil des tomes tout en gardant une cohérence ? Le lecteur qui entre dans ces cités pénètre dans l'inconnu tout en étant parfaitement à l'aise. Il ne lui reste qu'à découvrir la nouvelle surprise que lui réservent les auteurs dans un volume qu'il n'aura pas encore lu.

Casterman, 2007 (1983) - 15 vol. - 1, Les murailles de Samaris *suivi de* Les mystères de Pâhry - EAN 9782203006911 - 20 €

✱ Leviathan 14+

Ⓐ SCOTT WESTERFELD

Scott Westerfeld est décidément plein de ressources. Le voici de retour avec une trilogie prometteuse dans laquelle il réinvente l'origine de la Première Guerre mondiale (selon le procédé de l'uchronie) tout en la plaçant dans un monde ayant développé des technologies différentes du nôtre (Steampunk). Voilà donc les Darwinistes qui maîtrisent la génétique contre les Clankers, qui ont développé les machines.

Pocket Jeunesse (Grands formats), 2010 - 3 vol. - Léviathan
EAN 9782266194167 - 19 €

que lire...

...quand on aime la science-fiction ?

Des modifications, génétiques ou pas

✱ Des fleurs pour Algernon 14+

Ⓐ DANIEL KEYES

Charlie, un déficient mental, subit une opération qui va développer ses capacités intellectuelles. La souris Algernon a bénéficié du même traitement peu de temps auparavant. Charlie suit les progrès de la souris et les décrit dans son journal. Leurs compétences réciproques sont de plus en plus impressionnantes. Mais un jour, les facultés d'Algernon régressent, de manière irréversible. Charlie doit se rendre à l'évidence : il va suivre le même chemin qu'Algernon. Ce roman magistral n'a pas pris une ride et continue de bouleverser. La progression du récit est tellement maîtrisée qu'on oublie parfois que c'est une fiction et que le journal de Charlie n'est pas véridique. Heureusement.

Flammarion (Tribal), 2011 (1966) - EAN 9782081247604 - 9 €

✱ L'arche des derniers jours 13+

Ⓐ ÉRIC SIMARD

H. G. Wells, l'inventeur de la plupart des thèmes qui peupleront les romans de Science-Fiction ultérieurs, du voyage dans le temps aux attaques martiennes, avait déjà exploré les mutations effectuées par des savants dérangés dans L'Île du Docteur Moreau. *Éric Simard lui rend un bel hommage, à la hauteur de l'original, avec ce roman fulgurant. Il y rajoute une question sociale puisqu'ici, ce sont des riches oisifs qui achètent les créations « artistiques » d'une chirurgienne. Cette dernière crée des chimères avec des « adomutants » et des animaux. Mais les ados vont se révolter. Un récit violent et sans concession.*

Syros Jeunesse (Soon), 2009 - EAN 9782748507799 - 16,20 €

✱ Uglies 12+

Ⓐ SCOTT WESTERFELD

Best-seller international, cette série mérite bien son succès tant elle est ingénieuse et pointe les dérives possibles de notre monde actuel, obsédé par l'image de soi. Dans le monde futur décrit par l'auteur, les jeunes, considérés comme « moches » jusqu'à 16 ans, parce que « naturels », subissent à cet âge une opération chirurgicale devant les rendre parfaits et leur donner accès à la ville des « Pretties ». Par un concours de circonstances, la jeune Tally va se retrouver du côté des rebelles, ceux qui refusent l'opération, alors qu'elle-même rêvait de devenir Pretty. Commence alors pour Tally une série d'aventures qui l'amènera à réviser son jugement sur la prétendue perfection des Pretties.

Pocket Jeunesse, 2011 (2007) - 5 vol. - Uglies - EAN 9782266214261 - 7,40 €

✱ Frankenstein : d'après l'œuvre de Mary Shelley « Frankenstein ou le Prométhée moderne » 13+

Ⓐ MICHEL PIQUEMAL Ⓘ CHRISTIAN CAILLEAUX

Considéré par certains comme le premier roman de Science-Fiction, Frankenstein *est quasiment devenu un mythe en partie grâce aux films avec Boris Karloff qui a marqué le rôle par son maquillage et son interprétation. Le roman d'origine est cependant mal connu : on pense souvent à tort que Frankenstein est le nom de la créature alors que c'est celui du médecin qui lui donne vie et peu de gens se souviennent de la fin de l'histoire. En attendant d'être prêt à lire le texte de Mary Shelley, la lecture de cette adaptation de Michel Piquemal pourra être un très bon début. Les illustrations, énergiques et anguleuses, accompagnent à merveille l'atmosphère tendue du texte.*

Albin Michel Jeunesse, 2006 - EAN 9782226168498 - 14,50 €

✱ Interface 13+

Ⓐ MT ANDERSON

L'interface, greffée dans le cerveau de chacun, permet d'être connecté en permanence au réseau. On peut acheter, communiquer, s'amuser. Mais Titus va prendre conscience que cette interface n'est pas forcément la meilleure des choses et que les exclus de la connexion sont de facto condamnés à ne pas exister. À lire avant que ce futur effrayant devienne notre présent.

Gallimard Jeunesse (Pôle fiction), 2011 (2004) - EAN 9782070637713 - 6 €

✱ IBOY 13+

Ⓐ KEVIN BROOKS

On savait que les Iphones étaient puissants, mais celui qui est tombé sur la tête de Tom devait l'être particulièrement. Des morceaux de l'objet sont restés dans son crâne, et voici le jeune homme doté de drôles de capacités : il est devenu un Iboy capable d'accéder à tous les réseaux, même sécurisés. Kevin Brooks multiplie les scènes d'action sans oublier d'interroger la responsabilité qui échoit à celui détenant des pouvoirs.

Gallimard Jeunesse (Pôle fiction), 2011 - EAN 9782732444864 - 12,90 €

✱ Petit frère 13+

Ⓐ CHRISTOPHE LAMBERT

Quoi de plus horrible que de perdre un enfant ? Il est aisé de comprendre des parents qui accepteraient de voir leur fils revenir à la vie. Alors quand on propose aux Martin de ressusciter leur fils David, mort noyé, ils acceptent. Mais le David qui revient ne se souvient de rien et toute la famille est obligée d'intégrer ce qui ressemble à une secte. Un roman qui ne ménage pas le lecteur mais qui soulève avec pertinence des questions existentielles et sociétales.

Mango Jeunesse (Autres mondes), 2010 (2003) - EAN 9782740427378 - 9 €

✱ Les Fragmentés 14+

Ⓐ NEAL SHUSTERMAN

Dans cette société, les enfants peuvent être abandonnés par leurs parents et les adolescents qui posent problèmes sont proposés à la fragmentation : on ne les tue pas mais leur corps est utilisé pour y prélever des organes en cas de besoin. Trois adolescents condamnés vont tenter d'échapper à leur triste sort. Il n'y a pas une minute de repos dans ce roman au rythme calé sur la fuite éperdue des personnages.

Éd. du Masque (MSK), 2008 - EAN 9782702433911 - 13,50 €

✱ Astro Boy 10+

Ⓐ OSAMU TEZUKA

Construit par un savant pour remplacer son fils mort dans un accident de voiture, le robot Astro boy va devenir un super héros au service de la justice et de la paix. Ce classique du Manga japonais a fait le tour du monde, en bande dessinée ou en film, et peut encore se lire avec passion tant le talent de Tezuka est présent et le discours positif motivant.

Kana, 2009 (1952) - EAN 9782505005483 - 12,50 €

✱ Invisible 13+

Ⓐ FABRICE COLIN

Dans les favelas de Rio, les possibles sont limités. Aussi, Tiago n'hésite-t-il pas à participer à quelques attaques à main armée. Mais la dernière tourne mal et le butin est pauvre : une éprouvette. Elle se casse et libère des nano-robots, invisibles mais particulièrement dangereux. L'auteur livre un roman survolté autour d'une découverte scientifique actuelle dont les potentiels ne sont pas maîtrisés.

Mango Jeunesse (Autres mondes), 2009 (2006) - EAN 9782740424858t - 9 €

Regard critique

La fin de la Science-Fiction ?

Après son âge d'or à la fin du XIXe siècle et au début du XXe et son renouveau dans les années 1970, la Science-Fiction semble être redevenue un genre un peu plus confidentiel, éclipsé par la Fantasy. Il est étonnant de constater que ce genre qui interroge les conséquences de la science intéresse aujourd'hui moins de monde alors que, précisément, les découvertes scientifiques sont légion et posent des problèmes réels à la société actuelle. Il est vrai que les voyages spatiaux font moins rêver (l'homme a marché sur la Lune) et que les invasions martiennes sont passées de mode ! Quant aux technologies extraordinaires inventées autrefois par les auteurs, elles sont pour la plupart entrées dans la réalité à une vitesse prodigieuse ou se développent quasiment chaque jour. Qui aurait pu imaginer il y a 10 ans les capacités actuelles du moindre téléphone portable ? Sans parler du changement de société qu'a introduit Internet. Et les jeunes ont particulièrement assimilé ces technologies comme étant tout à fait naturelles. Reste tout de même à la Science-Fiction son versant critique : essayer d'avertir sur les dérives de découvertes dont les applications ne sont pas forcément toujours positives.

un genre méconnu : la science-fiction

Denis GUIOT

Passionné de science-fiction depuis près de 40 ans, Denis Guiot a travaillé pour plusieurs collections de SF, chez Hachette et Nathan en particulier et a créé la collection *Autres Mondes* chez Mango, qu'il a dirigée jusqu'en 2007. Il s'occupe actuellement des collections Soon et Mini Soon chez Syros. Ancien enseignant, Denis Guiot est convaincu que la Science-Fiction est un bon moyen pour amener les jeunes à la curiosité, au questionnement sur le monde qui les entoure et leur éviter de croire aveuglément aux vérités établies.

La Science-Fiction est un genre finalement assez méconnu qui a même parfois une image négative auprès du public. Pourquoi cela ?

Parce que lorsqu'on dit « Science-Fiction », la plupart des gens pensent « fusées, extra-terrestres, scientifiques, trucs compliqués un peu débiles et pour les garçons » ! C'est pour cela que je préfère parler d'anticipation. Il est vrai, aussi, que ma définition de la Science-Fiction ne correspond pas forcément à celle de certains spécialistes très technophiles. Pour moi, la SF se rapproche davantage du genre du polar : elle parle du présent, mais contrairement au roman policier, elle fait un détour par le futur pour montrer les conséquences d'une réalité actuelle en l'extrapolant. Par exemple : imaginons qu'on développe les OGM à grande échelle. Quelles seront les conséquences pour l'Humanité ?

Pour vous, il n'est donc pas nécessaire d'avoir un environnement scientifique compliqué pour faire un roman de Science-Fiction ?

Non, je déteste les romans qui prennent trois tomes pour installer un univers avant que l'action ne commence. Mais encore une fois, c'est ma vision des choses. Et je pense qu'elle correspond bien au public que je veux toucher. Je me préoccupe peu des passionnés, des convaincus ou des boulimiques de lecture. Ce qui m'intéresse, c'est de toucher un jeune qui dit ne pas aimer la SF, par exemple, qui va découvrir un bon roman et qui sera tout étonné quand on lui annoncera qu'il vient de lire de la Science-Fiction.

Quel est pour vous, alors, un bon roman de Science-Fiction ?

C'est avant tout un roman spéculatif et psychologique, qui mêle évasion et réflexion. Il suffit que le point de départ soit plausible, que la progression soit cohérente. Et je suis très sensible à l'écriture : elle doit être simple sans être simpliste et véhiculer de l'émotion. J'ai découvert la SF assez tard, vers 23 ans, avec *Des fleurs pour Algernon*. Ça a été un véritable choc et ça reste pour moi un modèle du genre.

Pourquoi avoir fait avec Mini Soon une collection pour les plus jeunes ? Ne faut-il pas justement avoir déjà un certain bagage littéraire pour apprécier le genre ?

Non, on peut découvrir la SF bien plus tôt que moi ! Dès qu'un enfant ne croit plus au Père Noël, qu'il n'est plus seulement dans l'univers magique, il peut réfléchir aux questions actuelles et se projeter dans l'avenir. Il y a bien des collections de philosophie pour les plus jeunes ! C'est un peu la même chose. D'ailleurs, j'ai pensé la collection *Mini Soon* comme une anthologie. On aborde les questions à travers toutes les possibilités offertes par la SF : voyage dans le temps, expériences scientifiques, etc.

Vous faites de la SF pour les plus jeunes. Et pour les filles aussi ? Puisque c'est une littérature de « garçons » !

J'essaie effectivement de casser cette image. Car la SF n'a pas de sexe ! D'ailleurs, j'ai beaucoup de femmes auteures chez Soon, et un livre comme *Dans les larmes de Gaïa* de Nathalie Le Gendre, que j'ai publié en 2003 chez Autres Mondes, a attiré tout un lectorat féminin. Je vais donc continuer !

autres titres recommandés par Denis Guiot

- *Imago*, de Nathalie Le Gendre - Syros (Soon)
- *L'envol du Dragon*, de Jeanne-A Debats – Syros (Mini Soon)

et pour adultes

- *Replay*, de Ken Grimwood - Points

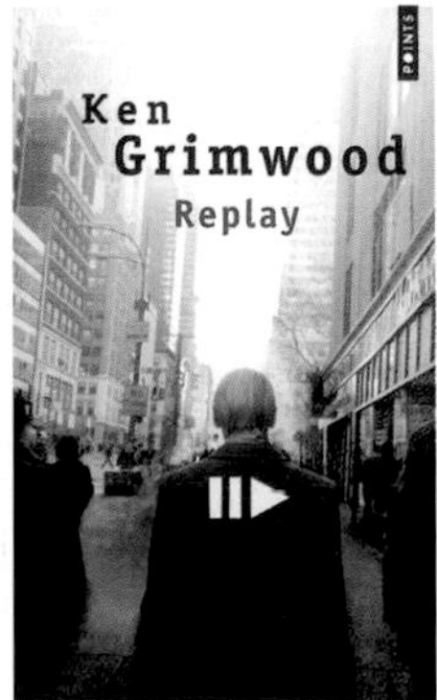

J'AIMERAIS UN LIVRE QUI PARLE...

QUELQUES MOTS SUR LES SUJETS ET LES THÈMES

LES ENFANTS CHERCHENT SOUVENT DES LIVRES DRÔLES, ET L'ÉDITION, DU MOINS DANS LE DOMAINE DES ROMANS, A BIEN DU MAL À SATISFAIRE CETTE DEMANDE.

Si les bandes dessinées comblent quant à elles largement cette attente, quelques textes de qualité offrent également la possibilité de s'amuser franchement ou de simplement se détendre. Car tous les jeunes ne sont pas forcément passionnés de Fantasy, et ceux qui le sont, aiment parfois à s'échapper vers d'autres horizons.

Ils trouveront l'occasion, grâce à cette partie, d'appréhender le réel de manière directe, de tenter de comprendre le monde tel qu'il va. Le domaine des sentiments représente une part non négligeable des centres d'intérêt des jeunes : comment faire pour déclarer sa flamme ? Comment savoir si on est aimé ? Comment se sentir à l'aise au sein d'un groupe ? Autant de questions qui taraudent, surtout à l'adolescence, et que la fiction romanesque peut permettre de mieux comprendre.

Ces romans ou autres textes renvoient aussi un miroir rassurant aux enfants : en découvrant des histoires réalistes dans lesquelles ils se retrouvent, ils savent qu'ils ne sont pas seuls à ressentir des émotions complexes, qu'au moins une personne a su mettre des mots sur des sentiments qu'ils connaissent.

Au-delà de ce quotidien intime, les livres peuvent servir à regarder différemment des événements réels, passés ou contemporains. Se mettre à la place, le temps d'un récit, d'un enfant pendant la Seconde Guerre mondiale, marcher dans les pas d'un jeune serf au Moyen Âge ou accompagner un garçon marqué par le génocide du Rwanda : tous ces possibles offerts par le roman donnent une dimension différente à des faits écoutés distraitement à la télévision ou pendant les cours d'Histoire. Et de l'Histoire à l'aventure, il n'y a parfois qu'un pas que les propositions de lectures devraient permettre de franchir. Espérons-le.

… de récits de vie

LA VIE QUOTIDIENNE EST UN SUJET INÉPUISABLE POUR LA LITTÉRATURE.
Qu'ils soient mis en scène dans des fictions parfois très dures qui tentent de s'approcher au plus près de la réalité comme *Junk*, de Melvin Burgess, ou qu'ils proposent des témoignages véridiques comme *Danbé*, d'Aya Cissoko et Marie Desplechin, les récits de vie rendent compte de la diversité et de la complexité du réel. Parfois, le choix de faire raconter l'histoire par la voix d'un personnage enfantin pour plus de réalisme n'est pas toujours très convaincant. Il ressort néanmoins de ces textes une réelle sensibilité qui aide à appréhender le monde. Mais ces récits ne sont pas là pour guérir ou faire parler, ce ne sont pas des médicaments à prescrire : ils donnent avant tout la possibilité de s'ouvrir à d'autres points de vue, d'autres parcours de vie ou même de retrouver le sien propre par le biais du style d'un auteur.

Precious 15+

Ⓐ SAPPHIRE

Comment un récit qui aligne les pires horreurs peut-il néanmoins dégager une sorte de grâce ? Quel intérêt peut pousser un lecteur à lire la série de malheurs qui frappe Precious ? Analphabète, obèse, battue et violée par son père qui la met enceinte, humiliée par sa mère. On peut à peine supporter la liste des maux qui l'accablent. Mais cette litanie possède un versant lumineux : l'écriture de Sapphire et la découverte même par Precious de la poésie. On sait que les adolescents (et certains adultes également) apprécient les récits de vie, les parcours impossibles. Non pas par curiosité malsaine mais pour interroger le réel, chercher à s'identifier pour comprendre. Precious fait partie de ces textes qui, s'ils ne sont pas à proprement parler « réels », s'attaquent frontalement à des faits qui pourraient l'être et les transforment par le biais de l'écriture. Il faut signaler aussi le film adapté de ce roman qui aurait pu, là aussi, sombrer dans le pathos ou le cliché mais qui reste juste, tout comme le texte de Sapphire. Beaucoup ne supporteront ni l'histoire, ni l'écriture qui colle au plus près du pauvre vocabulaire de cette adolescente, de sa syntaxe heurtée et de ses réflexions sordides. Les autres rentreront dans cet univers pour y découvrir un individu qui refuse de baisser la tête et la description d'un espoir qui peut se nicher dans les endroits les plus inattendus. Le roman avait paru une première fois sous le titre *Push* avant de reparaître sous le même titre que le film de Lee Daniels.

Points, 2010 (1997) - EAN 9782757816868 - 6 €

✲ JUNK 15+

Ⓐ MELVIN BURGESS

L'originalité de ce roman sur la descente aux enfers d'adolescents devenant drogués consiste à donner des points de vue différents sur leur parcours. Il n'occulte pas la vision des jeunes eux-mêmes et donc le plaisir de la drogue, du moins au début. C'est peut-être pourquoi il a tant marqué lors de sa première parution. Il faut pourtant le lire jusqu'au bout pour comprendre qu'il n'est en rien une apologie des substances illicites.

Gallimard (Folio), 2009 (1998) - EAN 9782070396924 - 7,30 €

✲ DANBÉ 15+

Ⓐ AYA CISSOKO, MARIE DESPLECHIN

Le parcours d'Aya Cissoko est d'autant plus étonnant qu'il est réel. Marie Desplechin a accompagné l'écriture de ce récit de vie presque incroyable d'une jeune femme qui a dû surmonter des deuils, se faire une place dans le monde de la boxe jusqu'à devenir championne puis recommencer tout à zéro après un combat qui l'empêchera à jamais de boxer. Mais Aya Cissoko se relève toujours, la tête haute.

Calmann-Lévy, 2011 - EAN 9782702141755 - 15 €

✲ ZOUCK 13+

Ⓐ PIERRE BOTTERO

Pierre Bottero, désormais presque essentiellement connu pour ses séries de Fantasy très réussies, avait pourtant d'autres talents d'écriture. Il le prouve ici en se frottant au sujet de l'anorexie à travers le regard d'une jeune fille qui décide de maigrir après une réflexion de son professeur de danse. Beaucoup se reconnaîtront dans les sentiments de Zouck.

Flammarion (Tribal), 2009 - EAN 9782081624467 - 7 €

✲ ELLIOT 12+

Ⓐ GRAHAM GARDNER

Quand Elliot arrive dans ce nouveau lycée, il essaie de se faire discret. Une petite bande, « les Gardiens », sème la terreur et Elliot s'est, ailleurs, toujours retrouvé victime de ce genre de personnages. Et ça ne manque pas, « les Gardiens » viennent le trouver. Mais c'est pour lui proposer d'être des leurs. Que va faire cette ancienne victime devenue bourreau ? Un suspense terrible autour d'un cas de conscience. On pense, évidemment, à La Guerre des chocolats *de Robert Cormier.*

Flammarion (Tribal), 2010 - EAN 9782081626348 - 8 €

✲ COFFEE 14+

Ⓐ EDGAR SEKLOKA

Avec ce premier roman, Edgar Sekloka surprend en décrivant le parcours improbable et pourtant extrêmement réaliste de Koffi, un jeune garçon issu d'un milieu aisé mais pourtant pas sans histoire. La langue rythmée, imagée et dansante de l'auteur accompagne la solitude de son personnage, même très entouré, de ses 7 ans à l'âge adulte. Comment l'enfance donne le « la » de toute une vie.

Sarbacane (Exprim'), 2008 - EAN 9782848652122 - 8,50 €

✲ PEDRO ET MOI 14+

Ⓐ JUDD WINICK

Années 1990. Judd participe à une émission de télé-réalité dans laquelle sept personnes doivent cohabiter pendant six mois. Il y rencontre Pedro, homosexuel et séropositif, qui veut se servir de l'émission pour informer sur le Sida. Une amitié naît entre eux. Ce récit autobiographique au graphisme réaliste frappe juste grâce à la franchise souvent bouleversante de l'auteur.

Çà et là, 2006 - EAN 9782916207063 - 23 €

✲ LETTRES DE L'INTÉRIEUR 13+

Ⓐ JOHN MARSDEN

Mandy et Tracey correspondent par lettres. Elles ne se connaissent pas mais se racontent leur quotidien. Jusqu'au jour où Mandy apprend que Tracey est en fait en prison. Mais Mandy n'a pas forcément non plus une vie idéale. Ce récit épistolaire recèle une tension de plus en plus grande distillée par la découverte de non-dits au fil de la correspondance. Jusqu'à une fin… ouverte.

École des loisirs (Médium), 1998 - EAN 9782211042994 - 10 €

✲ L'ENFANT NOIR 12+

Ⓐ CAMARA LAYE

Si ce récit est ancré dans une Afrique coloniale peu remise en cause par l'auteur (on lui reprocha à l'époque) il vaut surtout aujourd'hui pour le regard sur l'enfance et le déracinement d'un jeune qui change de milieu. Avec la distance, reste un récit touchant et juste qui fait état, malgré les critiques que l'on peut encore lui porter, d'une réalité bien concrète.

Pocket (Best), 2007 (1953) - EAN 9782266178945 - 4 €

J'aimerais un livre qui parle…

… de récits de vie

✲ Mamie Torrelli 11+

Ⓐ SHARON CREECH

Les échanges malicieux, souvent autour de la cuisine, de Mamie Torrelli et de sa petite fille Rosie, qui apprend à grandir grâce aux conseils glissés discrètement par la vieille dame.

Gallimard Jeunesse (Folio Junior), 2005
EAN 9782070569854 - 5,70 €

✲ Quatre sœurs 12+

Ⓐ MALIKA FERDJOUKH

La saga des quatre sœurs Verdelaine (qui sont d'ailleurs cinq) regorge de moments drôles, épiques ou émouvants : entre les filles du docteur March et les demoiselles de Rochefort, ces sœurs tiennent toute leur place !

École des loisirs (Médium), 2003 - 4 vol.
1, Enid - EAN 9782211069571 - 9 €

✲ Rien dire 13+

Ⓐ BERNARD FRIOT

Demain, Brahim devra parler devant la classe. En attendant, il réfléchit à ce qu'il pourrait dire. Un monologue qui brise les clichés et montre qu'une patrie d'élection peut se choisir par la langue : pour Brahim, c'est l'allemand.

Actes Sud Junior (D'une seule voix), 2007
EAN 9782742766956 - 7,80 €

✲ Moi et Finn 12+

Ⓐ TOM KELLY

Sur une histoire tragique, la mort d'un frère jumeau, l'auteur parvient à décrire le parcours de celui qui reste, sans lourdeur aucune, grâce à une narration très habile.

Alice Jeunesse (Les romans), 2009
EAN 9782874261039 - 12 €

✲ Unis pour la vie 11+

Ⓐ GUUS KUIJER

Impossible de ne pas se prendre de passion pour Pauline et sa famille que l'on retrouvera avec bonheur dans trois autres romans. Pauline raconte sa vie peu ordinaire avec humour et de manière totalement iconoclaste.

École des loisirs (Neuf), 2003 - 4 vol. - Unis pour la vie
EAN 9782211065559 - 9 €

✲ Les racines de Naomi 12+

Ⓐ PAM MUNOZ RYAN

Naomi doit partir à la recherche de son père, mis de côté par une mère plutôt indigne. Les personnages hauts en couleur, de la grand-mère au petit frère, égayent ce texte qui génère l'empathie.

Actes Sud Junior (Ado), 2006 - EAN 9782742758524
10,50 €

✲ Bonjour camarades 13+

Ⓐ ONDJAKI

Le regard d'un enfant sur la décolonisation de l'Angola et ses suites. C'est à la fois drôle et tragique. Personne n'est épargné. Chacun, adulte ou adolescent, y trouvera matière à réfléchir sur la construction de la liberté.

La Joie de lire (Récits), 2004 - EAN 9782882582829 - 9 €

✲ La guerre des chocolats 14+

Ⓐ ROBERT CORMIER

L'un des textes les plus forts de cet auteur majeur. Robert Cormier fut parmi les premiers à aborder de front le quotidien d'adolescents : ici, le poids du groupe.

École des loisirs (Médium), 1991 (1974)
EAN 9782211026611 - 7 €

✲ Tendre banlieue 12+

Ⓐ TITO

Cette série de bande dessinée créée par Tito a toujours pour cadre des décors réels, de banlieue le plus souvent, et des situations du quotidien que les jeunes peuvent vivre. Jamais manichéen, toujours sensible et juste.

Casterman, 1991 - 20 vol. - 1, Samantha
EAN 9782203355019 - 9 €

✲ Oreille d'homme ou comment on a failli tuer Stina 13+

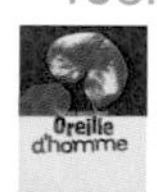

Ⓐ BART MOEYAERT

Bart Moeyaert n'a pas son pareil pour décrire des situations à hauteur d'enfant : la cruauté y est souvent teintée d'humour, servie par une langue légère et précise.

Rouergue (DoaDo), 2006 - EAN 9782841567539 - 6 €

✲ Les enfants de la baie aux corneilles 12+

Ⓐ BODIL BREDSDORFF

Cette tétralogie oscille entre le roman d'apprentissage et le conte. Avec son rythme envoûtant, le texte séduira les lecteurs cherchant des récits amples au réalisme teinté d'imaginaire.

Thierry Magnier (Roman), 2006 (1993) - 4 vol.
1, La fille Corneille - EAN 9782844204509 - 9 €

✲ Le défi 12+

Ⓐ MARIE LEYMARIE

Un roman très réussi sur un sujet peu souvent traité : la pression exercée sur un adolescent sportif. L'auteure décrit à la perfection le moment où tout peut craquer et où il faut savoir ce qui est le plus important pour soi.

Syros Jeunesse (Tempo +), 2008 (2006)
EAN 9782748506914 - 5,95 €

✲ Fil de fer, la vie 14+

Ⓐ JEAN-NOËL BLANC

14 nouvelles décrivent le quotidien d'enfants. L'écriture poétique de Jean-Noël Blanc fait ressentir les situations souvent difficiles de ces jeunes. Pour bons lecteurs.

Gallimard Jeunesse (Scripto), 2003 (1992)
EAN 9782070553099 - 8 €

✲ Sing « Yesterday » for me 15+

ⒶⒾ KEI TŌ ME

Les amours, les attentes, les rêves de quelques jeunes gens à peine sortis de l'adolescence et qui tentent, tant bien que mal, de trouver leur voie.

Delcourt-Akata, 2003 - 6 vol. - Sing « Yesterday » for me - EAN 9782847891171 - 7,95 €

✲ Treize raisons 14+

Ⓐ JAY ASHER

Treize personnes vont devoir écouter les confessions enregistrées par Hannah avant son suicide. Pourront-ils pour autant comprendre son geste ? Au lecteur de juger.

Albin Michel (Wiz), 2010 - EAN 9782226195531
13,50 €

✲ Cher inconnu 15+

Ⓐ BERLIE DOHERTY

Helen, 16 ans et Chris, 18 ans, font l'amour pour la première fois. Helen se retrouve enceinte. Ils veulent garder l'enfant. Le sujet est abordé avec délicatesse par un récit qui respecte le regard de tous les protagonistes.

Gallimard Jeunesse (Pôle fiction), 2010 (1993)
EAN 9782070696079 - 6 €

✲ L'été où j'ai grandi 11+

Ⓐ JO HOESTLANDT
Ⓘ CAMILLE JOURDY

Un été dans les années 1960, une petite fille de 10 ans, Jo, commence à percevoir la sortie de l'enfance. Le roman sonne juste. Même si l'époque est lointaine, les moments d'enfance se ressemblent tous.

Actes Sud Junior (les premiers romans cadet), 2006
EAN 9782742759859 - 6 €

✲ Trois jours en été 12+

Ⓐ BASTIEN QUIGNON

Les relations amicales et les rapports de force entre deux garçons, l'un de 11 ans, l'autre de 15 ans, lors d'un été. Les illustrations à la fois tendres et rudes sont à l'unisson des rapports entre les deux jeunes.

Actes Sud - L'An 2, 2010 - EAN 9782742790654
19,50 €

… de récits de vie

à voir en bibliothèque

Certaines bibliothèques (et même certaines librairies) proposent des classements par centres d'intérêts. Il n'est pas rare de trouver, dans ces lieux qui ont choisi de regrouper des titres plébiscités par le public, un ou plusieurs rayonnages sur les histoires vécues, les histoires vraies, les récits de vie, voire même les biographies de personnages célèbres ou moins connus ayant eu une vie édifiante. Si ce n'est pas le cas, ces histoires bien particulières sont souvent référencées dans le catalogue de la bibliothèque grâce à un sujet qui leur est rattaché. Et si aucune de ces possibilités n'est offerte par votre bibliothèque ou votre librairie de quartier, proposez-les !

… de récits de vie

pour rebondir

La collection « ceux qui ont dit non »

Les éditions Actes Sud Junior proposent des romans historiques qui font le lien entre le roman, l'histoire et le récit de vie. Il s'agit de mettre en avant une figure historique ou contemporaine connue qui a su, par ses actes, s'opposer à un consensus général ou à des pressions pour défendre des idées de liberté. D'Olympes de Gouge à Gandhi en passant par Nelson Mandela, la collection est déjà riche d'une vingtaine de titres.

… de récits de vie

et aussi…

Rosa Parks, non à la discrimination raciale 12+
Ⓐ NIMROD BENA DJANGRANG
Actes Sud Junior (Ceux qui ont dit non), 2008
EAN 9782742773855 - 7,80 €

Et tu te soumettras à la loi de ton père 12+
Ⓐ MARIE-SABINE ROGER
Thierry Magnier (Roman), 2008
EAN 9782844206336 - 8 €

Beck 12+
Ⓐ HARORUDO SAKUISHI
Delcourt-Akata, 2004 - 34 vol. - 1, Beck
EAN 9782847894516 - 7,95 €

Mon amie pour la vie 11+
Ⓐ JACQUELINE WILSON
Gallimard Jeunesse (Folio Junior), 2010 (2001)
EAN 9782070632435 - 6,10 €

Un marronnier sous les étoiles 11+
Ⓐ THIERRY LENAIN
Syros Jeunesse (Mini Syros roman), 2008 (1990)
EAN 9782748506563 - 2,95 €

De bonnes raisons d'être méchant 12+
Ⓐ DENIS KAMBOUCHNER
Gallimard Jeunesse (Giboulées), 2010 Chouette penser !
EAN 9782070626816 - 10,50 €

Nana 13+
Ⓐ AI YAZAWA
Delcourt, 2002 - 21 vol. - 1, Nana
EAN 9782840559573 - 6,95 €

Captain Tsubasa : Olive et Tom 10+
Ⓐ YÔICHI TAKAHASHI
Glénat, 2010 (1999) - 37 vol. - 1, Tsubasa, prends ton envol !
EAN 9782723474580 - 6,90 €

Ne fais pas de bruit 13+
Ⓐ KATE BANKS
Gallimard Jeunesse (Scripto), 2004
EAN 9782070558643 - 9 €

Les giètes 15+
Ⓐ FABRICE VIGNE
Thierry Magnier (Photoroman), 2007
EAN 9782844205254 - 14,50 €

Regard critique

Beaucoup de lecteurs aiment retrouver des histoires du quotidien, en particulier certaines jeunes filles : c'est une attente qui correspond à une envie, voire un besoin à un moment donné de leur parcours. À l'opposé des littératures de l'imaginaire, ces titres abordent des questions et des situations réalistes, concrètes, qui permettent au lecteur de s'identifier immédiatement sans passer par le biais symbolique de la Fantasy ou celui anticipateur de la Science-Fiction. Il faut néanmoins séparer deux catégories dans ce type de lecture : **les récits véridiques et ceux qui s'inspirent seulement de la réalité**. Étrangement, les livres de témoignages, d'histoires vécues sont souvent négligés ou même mal considérés par les professionnels de la lecture (bibliothécaires, enseignants) sauf s'ils ont une caractéristique historique. Si les plus jeunes se tournent davantage vers la fiction réaliste, il ne faut pas oublier qu'il existe un public d'adolescentes et de jeunes adultes qui plébiscitent les témoignages comme *Brûlée vive* ou *Jamais sans ma fille*.

... D'aventure

ROMANS D'AVENTURE AU SENS LARGE, LES TITRES PROPOSÉS ICI PEUVENT AUSSI BIEN SE PASSER SUR LES MERS, AU FAR WEST OU SUR D'AUTRES CONTINENTS... QU'AU COIN DE LA RUE. Car cette « catégorie » est souvent floue pour les enfants et en poussant un peu l'investigation suite à leur demande, il n'est pas rare de constater qu'ils peuvent ranger dans ce genre aussi bien du récit de pirates que du roman policier ou des petites aventures du quotidien. L'aventure est aussi parfois intérieure et l'on peut trouver dans le même récit un voyage bien réel lié à un parcours initiatique. Car les rencontres, les épreuves et les pérégrinations dans des terres inconnues font grandir. Ce qui est aussi une aventure.

Le garçon qui voulait devenir un être humain

12+

Ⓐ JØRN RIEL Ⓘ CHRISTEL ESPIÉ

Christel Espié © Sarbacane, 2005

Paru au préalable aux éditions Gaïa en trois volumes puis ensuite regroupé en un seul, ce récit du danois Jørn Riel est désormais proposé également dans cette très belle édition chez Sarbacane. Les lecteurs qui n'ont que leur trajet de métro pour lire adopteront les petits volumes de Gaïa, ceux qui ont plus de temps pour se poser préfèreront la version illustrée en grand format (38 cm de haut !) qui ne modifie le texte en rien mais permet aux tableaux de Christel Espié de prendre toute leur place. L'illustratrice a en effet impulsé le souffle du récit dans ses grandes planches qui évoquent le travail de l'illustrateur contemporain François Roca, lui-même inspiré par la peinture réaliste américaine. C'est un plaisir de se plonger alors dans le parcours de Leiv, jeune viking, qui décide de venger son père assassiné.

Mais l'affaire se révèle complexe : l'assassin, Thorstein, vengeait lui-même la mort d'un proche et possède une carrure qui désavantage grandement le petit Leiv. Qu'à cela ne tienne ! Leiv embarque sur le bateau de Thorstein en attendant d'avoir l'âge de se venger. Mais le drakkar fait naufrage et Leiv est recueilli par des Inuits. Jørn Riel a mis tout son art au service de cette aventure drôle comme ses racontars et puissante comme une saga. Il en profite pour donner une leçon d'humanité en exposant le parcours de Leiv qui, partant d'un désir de vengeance, va finir par vouloir devenir un être humain (c'est la signification d'Inuit). À lire à tout âge !

Sarbacane, 2005 - Le garçon qui voulait devenir un être humain, 3 vol. 1, Le naufrage - EAN 9782848650791 - 19,50 €

L'Homme-bonsaï 12+

Ⓐ FRED BERNARD Ⓘ FRANÇOIS ROCA

Avec cet album, Fred Bernard et François Roca réussissent l'une de leurs plus belles collaborations. L'histoire de cet homme qui a vu germer une graine de bonsaï sur son crâne et qui devient un arbre gigantesque faute d'avoir toujours eu à portée de main quelqu'un pour effectuer sa « taille » emporte le lecteur dans un ailleurs fascinant. À noter : Fred Bernard a repris cette histoire en bande dessinée avec une illustration à l'opposé de la peinture de son comparse.

Albin Michel Jeunesse, 2003 - EAN 9782226140883 - 14,90 €

Le souffle des marquises 12+

Ⓐ MURIEL BLOCH, MARIE-PIERRE FARKAS

Plus connue comme conteuse que comme romancière, Muriel Bloch propose ici, avec la collaboration de Marie-Pierre Farkas, une trilogie à l'écriture enlevée autour d'un personnage de jeune femme, Eléonore, qui décide de devenir musicienne dans un XIX*e siècle peu enclin à libérer les femmes. La saga se poursuivra jusqu'en 1920 avec les descendants d'Eléonore et les débuts du jazz.*

Naïve (Naïveland), 2008 - 3 vol. - 1, Le souffle des Marquises
EAN 9782350211046 - 14 €

Les passagers du vent 15+

ⒶⒾ FRANÇOIS BOURGEON

Intrigues pour le pouvoir, esclavage, voyages maritimes : tout est réuni pour faire de cette bande dessinée une belle découverte de lecture. Sans compter que le récit est porté par le personnage flamboyant d'Isa, la jeune noble dont on a usurpé l'identité. Les scénarii, complexes, emportent le lecteur dans ce XVIII*e siècle parfaitement rendu par les illustrations. Un « must ».*

12 bis, 2009 (1979) - 6 vol. - 1, La Fille sous la Dunette
EAN 9782356480552 - 13,50 €

Le royaume de Kensuké 12+

Ⓐ MICHAEL MORPURGO

Lors d'un voyage en bateau, Michael tombe à la mer en voulant sauver sa chienne. Il se réveille sur une île habitée par Kensuké, un ancien soldat japonais de la Seconde Guerre mondiale. Une amitié naît, même si Michael souhaite rentrer chez lui et Kensuké rester sur cette île. Michael Morpurgo raconte la vie de ces drôles de Robinson et s'amuse de la frontière entre fiction et réalité.

Gallimard Jeunesse (Folio Junior), 2007 (2000) - EAN 9782070544974 - 7,70 €

Les aventures de Jeremy Brand 12+

Ⓐ JEAN OLLIVIER

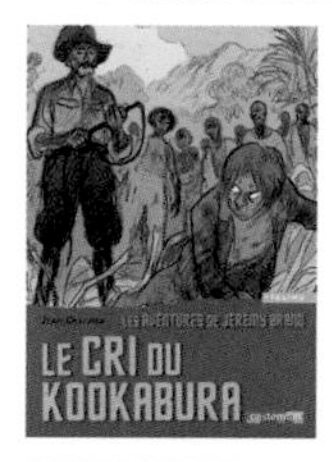

Jérémy, jeune adolescent des rues, va se retrouver esclave dans les plantations lorsque les autorités de Sydney décident de « nettoyer » la ville avant la fête du centenaire en cette année 1880. Un véritable roman d'aventure, digne de ses modèles classiques du XIX*e siècle, qui a été suivi de deux autres titres avec le même personnage.*

Casterman (Feeling), 2008 (1995) - 3 vol. - 1, Le cri du Kookabura
EAN 9782203011168 - 9 €

One Piece 12+

Ⓐ EIICHIRŌ ODA

Il y des mangas sur tous les sujets, des plus triviaux au plus extraordinaires. Celui-ci fait évoluer ses personnages dans le monde de la piraterie : le One Piece étant le trésor du seigneur des pirates, que tous recherchent. La série évolue au rythme effréné des aventures et ne taiblit pas malgré ses (déjà) 58 volumes !

Glénat, 2000 - 58 vol. - 1, À l'aube d'une grande aventure
EAN 9782723433358 - 6,90 €

Mémoires d'une pirate 12+

Ⓐ CELIA REES

Les histoires de pirates sont légion, mais moins nombreuses sont celles où les frères de la côte sont des femmes. Ce roman, qui s'inspire certainement de la vie réelle d'Anne Bonny et de Mary Read, sent la poudre et les embruns et distille un féminisme de bon aloi. On rêve de s'embarquer avec ces deux héroïnes, ici une esclave et sa maîtresse, en fuite, qui croisent Daniel Defoe et n'ont pas peur d'affronter les hommes !

Seuil Jeunesse (Fiction grand format), 2011 (2004)
EAN 9782021051865 - 14,90 €

L'Île au trésor 12+

Ⓐ ROBERT LOUIS STEVENSON
ADAPTATION DE CLAIRE UBAC
Ⓘ FRANÇOIS ROCA

Cette collection d'albums proposait des réécritures originales de grands textes de la littérature mondiale. Claire Ubac s'est emparée de L'Île au trésor *en donnant vie aux personnages du livre apparaissant à une jeune femme pour lui conter leur histoire. Les illustrations de François Roca collent tellement au récit qu'elles semblent avoir été peintes d'après les personnages eux-mêmes.*

Nathan (Album), 2009 - EAN 9782092522653 - 6,90 €

J'aimerais un livre qui parle…

… D'aventure

Le chien des mers 8+

A MARIE-AUDE MURAIL
I YVAN POMMAUX

On peut devenir corsaire à 9 ans ? Eh bien, oui ! Quand on vient d'une famille de marins au service du Roi, il n'y a rien d'étonnant à devenir mousse sur « Le Chien des mers ». C'est ainsi que Jean part à l'abordage !

École des loisirs, (Mouche) - EAN 9782211049122 - 5,50 €

Les secrets de Faith Green 12+

A JEAN-FRANÇOIS CHABAS

Quand un jeune homme voit débarquer chez lui une grand-mère qui n'a rien à envier à Calamity Jane, ça risque d'être intéressant. Et ça l'est ! Encore une réussite de l'auteur.

Casterman (Romans junior), 2006
EAN 9782203158153 - 8,50 €

La longue marche des dindes 9+

A KATHLEEN KARR

Simon est trop vieux pour rester à l'école. Mais il n'y a pas appris grand-chose. On va lui confier un troupeau de dindes à qui il doit faire traverser les États-Unis. Un parcours initiatique dans l'Amérique du XIXe siècle.

École des loisirs (Neuf), 1999 - EAN 9782211050418 - 9 €

De poussière et de sang : que renaissent les légendes 13+

A MARCUS MALTE

Marcus Malte revisite le genre du Western avec l'histoire d'un enfant fait prisonnier par des bandits envers lesquels il éprouve un mélange de fascination et de répulsion. Il va grandir parmi eux.

Pocket (Best), 2011 (2007) - EAN 9782266208871 - 7 €

Il était une fois dans l'Oklahoma 12+

A GERALDINE McCAUGHREAN

Ambiance des pionniers de l'Ouest américain, villes en construction, chemins de fer qui traversent petit à petit le continent : on est à l'époque où les colts parlent d'abord.

Gallimard Jeunesse (Folio Junior), 2004 (2003)
EAN 9782070507856 - 6,70 €

Tom Sawyer détective 13+

A MARK TWAIN
I CHRISTEL ESPIÉ

Une histoire à part de Tom Sawyer, publiée par Mark Twain près de 20 ans après le premier roman mettant en scène le jeune garçon. Cette enquête a néanmoins tout le souffle et l'humour attendus de cet auteur.

Sarbacane, 2010 (1896) - EAN 9782848653792 - 23 €

Le passage 12+

A LOUIS SACHAR

Avec ce roman, Louis Sachar est rentré dans la cour des grands de la littérature pour la jeunesse. Le titre original Holes *(les trous) rend mieux compte de la subtilité de ce texte effectivement rempli de manques à combler.*

École des loisirs (Médium), 2000 - 3 vol. - Le passage
EAN 9782211052870 - 10 €

Les enfants de Timpelbach 12+

A HENRY WINTERFELD

Cette histoire d'enfants livrés à eux-mêmes a bénéficié d'une nouvelle jeunesse avec la sortie de son adaptation cinématographique. Idéal pour revenir au livre original. Par l'auteur de L'Affaire Caïus.

Hachette Jeunesse, 2008 (1937)
EAN 9782012015821 - 10 €

Fifi Brindacier, l'intégrale 9+

A ASTRID LINDGREN

Pippi Longues Chaussettes est plus connue chez nous sous le nom de Fifi Brindacier. Sous un nom ou sous un autre, cette gamine reste un personnage attachant et déluré.

Hachette Jeunesse, 2007 - EAN 9782012015043
15,90 €

Guadalquivir 13+

A STÉPHANE SERVANT

Voici ce qu'on pourrait appeler un « train book » pour parodier le terme de road movie, puisque ce livre conte l'échappée en train d'un jeune homme en rupture et de sa grand-mère qui perd la tête.

Gallimard Jeunesse (Scripto), 2009
EAN 9782070618088 - 9 €

Malo de Lange 11+

A MARIE-AUDE MURAIL

On connaît le talent de l'auteure pour transformer tous les sujets qu'elle touche en or : celui-ci ne fait pas exception. Les tribulations de Malo valent celles de Rocambole.

École des loisirs (Neuf), 2011 - 2 vol.
1, Fils de personne - EAN 9782211204897 - 10 €

Sally Lockhart 12+

A PHILIP PULLMAN

*Avec cette série, malheureusement moins connue qu'*À la croisée des Mondes, *l'auteur a atteint l'équilibre parfait entre roman social, policier et d'aventure. Et Sally est une héroïne inoubliable !*

Gallimard Jeunesse (Folio Junior), 2007 - 4 vol.
1, La malédiction du rubis - EAN 9782070612802 - 6,70 €

La montre en or 11+

A LEON GARFIELD

Dans la plus pure tradition du roman « dickensien », Léon Garfield promène son lecteur dans le Londres de pickpockets et autres enfants des rues.

Gallimard Jeunesse (Folio Junior), 1998
EAN 9782070520176 - 5,70 €

Terre noire 13+

A MICHEL HONAKER

Michel Honaker a entrepris de réécrire sa trilogie Le Chevalier de Terre Noire *pour lui donner une dimension plus ample. Les lecteurs de la première série peuvent donc lire cette revisite des romans russes.*

Flammarion (Grands formats), 2008 - 3 vol.
1, Les exilés du tsar - EAN 9782081219793 - 13 €

Tintin 9+

AI HERGÉ

Tintin. Évidemment. Il fait tellement partie de notre culture que l'on y pense parfois même plus. Cette aventure au Tibet est peut-être le chef-d'œuvre d'Hergé, celle qui recèle le plus de symboles et d'engagement de l'auteur.

Casterman, 2007 (1958) - 24 vol. - 1, Tintin au Tibet
EAN 9782203007642 - 6,25 €

Enfant de la jungle 13+

A MICHAEL MORPURGO

Devenu soudainement orphelin, un jeune garçon va traverser la jungle indonésienne à dos d'éléphant et survivre parmi les animaux. On pense inévitablement au Mowgli du Livre de la jungle *car l'auteur soutient sans peine la comparaison avec Rudyard Kipling.*

Gallimard Jeunesse, 2010 - EAN 9782070628735
12,50 €

Cœur de louve 13+

A PIERRE-MARIE BEAUDE

Du Paris de la Commune au Québec, Pierre-Marie Beaude accompagne son héroïne en quête d'une nouvelle vie après les souffrances de l'enfermement.

Gallimard Jeunesse (Folio Junior), 2003 (1999)
EAN 9782070553044 - 6,70 €

Prisonnier des vikings 13+

A NANCY FARMER

Mélange d'aventure et de Fantasy, ce roman situé dans le monde des vikings utilise avec bonheur l'ambiance des légendes nordiques. Voir aussi la suite : Au pays des pommes d'argent.

Gallimard Jeunesse (Folio Junior), 2009 (2006)
EAN 9782070625550 - 8,10 €

Un auteur à découvrir : Sid Fleischman

Auteur américain mort en 2010, Sid Fleischman a écrit des romans d'aventure et des romans policiers. Il a aussi développé son talent de conteur dans des récits appartenant au Fantastique. Mais même lorsque ses romans ne relèvent pas directement de ce genre, ils sont souvent empreints de magie et d'imaginaire. Il faut dire que Sid Fleischman a été prestidigitateur ! Il a même écrit des livres sur la magie. Certaines de ses œuvres on été adaptées au cinéma et il était lui-même scénariste.

Quelques titres disponibles

- JINGO DJANGO
  École des loisirs (Neuf), 1998
- LE FAISEUR DE PLUIE
  École des loisirs (Neuf), 2004
- JIM L'AFFREUX
  École des loisirs (Neuf), 1994
- BO ET MAD
  École des loisirs (Neuf), 2005

Quelques titres épuisés à signaler

- LE TREIZIÈME ÉTAGE
  École des loisirs (Neuf), 1998
- JACK, CHERCHEUR D'OR
  Hachette Jeunesse (Bibliothèque Verte. Aventure), 1996
- INCROYABLES AVENTURES DE MISTER MAC MIFFIC
  Nathan (Arc en poche), 1989
- LE FANTÔME DU SAMEDI SOIR
  Le Livre de Poche Jeunesse, 1987

- LE CHAGRIN DU ROI MORT 14+
  JEAN-CLAUDE MOURLEVAT
  Gallimard Jeunesse, 2009 - EAN 9782070623877 - 16 €
- LE PRINCE DES APPARENCES 11+
  CATHERINE ZARCATE
  Bayard Jeunesse (Les romans de Je bouquine), 2005 (2003) - EAN 9782747017183 - 6,90 €
- LA LÉGENDE DU ROI ERRANT 12+
  LAURA GALLEGO GARCÍA
  La Joie de lire (Récits), 2009 (2005)
  EAN 9782882585080 - 10,70 €
- LA GUERRE DES CLANS 12+
  ERIN HUNTER
  Pocket Jeunesse, 2007 (2005) - 7 vol.
  1, Retour à l'état sauvage - EAN 9782266168656 - 7 €
- DRAGONBALL 10+
  AKIRA TORIYAMA
  Glénat, 2009 (1999) - EAN 9782723467681 - 10,55 €
- LE BAUME DU DRAGON 12+
  SILVANA GANDOLFI
  Les Grandes Personnes, 2010 (2007)
  EAN 9782361930097 - 13 €
- LA REINE DES LUMIÈRES 14+
  XAVIER MAUMÉJEAN
  Flammarion (Ukronie), 2009 - EAN 9782081230163 - 15 €
- HERMUX TANTAMOQ 12+
  MICHAEL HOEYE
  Le Livre de Poche Jeunesse (Mondes imaginaires), 2005 (2002) - 4 vol. - 1, Le temps ne s'arrête pas pour les souris - EAN 9782013211857 - 6,50 €
- NARUTO 10+
  MASASHI KISHIMOTO
  Kana, 2002 - 53 vol. - EAN 9782871294146 - 6,75 €
- LES AGENTS DE M. SOCRATE 13+
  ARTHUR SLADE
  Ed du Masque (MSK), 2010 - 2 vol. - 1, La confrérie de l'horloge - EAN 9782702434635 - 10 €

REGARD CRITIQUE

Les romans d'aventure font partie de la tradition de la littérature pour la jeunesse. Les grands récits du XIXe siècle, qui n'étaient d'ailleurs pas directement destinés au jeune lectorat, sont souvent devenus des classiques, parfois tout simplement parce qu'ils se sont retrouvés dans les programmes scolaires. Mais il n'est pas rare de voir en édition jeunesse, adaptés ou pas, des romans de Alexandre Dumas, Robert Louis Stevenson ou Herman Melville. Sans compter la plupart des récits de Jules Verne qui eux, s'ils étaient destinés aux enfants lors de leur publication originale, ne sont plus guère lus par ceux d'aujourd'hui. Il existe même un genre particulier de roman d'aventure qui tire son nom d'un roman du XVIIIe siècle : la robinsonnade. Eh oui ! Robinson Crusoé a vraiment marqué les esprits même si peu de lecteurs se sont aventurés dans la version intégrale du récit !

J'aimerais un livre qui parle...

... D'HUMOUR

DIFFICILE DE TROUVER DES « LIVRES QUI FONT RIRE » POUR REPRENDRE UNE EXPRESSION DES ENFANTS EUX-MÊMES. L'humour est vraiment une chose très personnelle et ce qui faire rire aux éclats certains n'arrache même pas un sourire aux autres. Il est d'autant plus ardu de choisir lorsque la barrière de l'âge entre en ligne de compte : on ne rit pas de la même chose à 8 ans, 12 ou 16 ans et encore moins adulte. Heureusement, il arrive parfois que tout le monde se retrouve sur quelques gags efficaces. Comique de situation, absurde, blagues, jeux de mots, contes facétieux, décalage : il y en aura pour tous les goûts. À condition de prendre le parti d'en rire (!).

L'arche part à 8 heures

10+

Ⓐ ULRICH HUB Ⓘ JÖRG MÜHLE

L'ARCHE PART À 8 HEURES

Les deux pingouins échangent rapidement un regard. Ils prennent chacun la colombe par une aile et la dirigent vers la porte :

— Dieu est un peu fatigué...

— Laissez-moi ! dit la colombe. C'est tellement merveilleux ! Je n'aurais jamais pensé que ce serait si agréable de parler à Dieu en personne !

— Tu peux renouveler ce plaisir à tout moment, dit la valise. Je serai toujours là pour toi, partout et en tout lieu.

— Je ne douterai plus jamais ! Je dirai partout à quel point tu es grand, et je te jure, dit la colombe en levant l'aile droite, qu'en un temps record je ferai en sorte que tous les animaux de l'Arche t'aiment autant que moi je t'aime !

— Ah ! Laisse tomber ! dit la valise. Chacun doit décider pour lui seul s'il veut m'aimer ou non. L'amour ne compte que s'il est donné librement...

66

L'ARCHE PART À 8 HEURES

La colombe est dans tous ses états. Elle se jette sur la valise et la prend dans ses ailes :

— Je t'ai toujours aimé ! Mais maintenant, je t'aime encore beaucoup plus fort qu'avant ! Tu es encore mieux que je ne croyais !

Quand la colombe entreprend de couvrir la valise de baisers, les deux pingouins se détournent, gênés.

— Mais tu veux peut-être quelque chose ? Tu n'as qu'à dire un mot, je ferai tout ce que tu voudras !

— Je mangerais bien un morceau de tarte au fromage.

— Pardon ?! dit la colombe en sursautant.

— Un morceau de tarte au fromage.

Ils sont trois maintenant à regarder la valise. Un long silence s'installe.

— Euh... C'est fini pour aujourd'hui, disent prudemment les deux pingouins. Dieu nous semble légèrement surmené. Cet énorme Déluge l'a complètement épuisé.

— Il a d'autant plus mérité sa tarte au

67

Trois pingouins discutent sur la Banquise. Une colombe arrive. Comment ? Ils sont encore là ! Mais ils ne savent pas que le Déluge est pour bientôt et qu'il faut embarquer dans l'Arche ? Dernière petite précision de la colombe : il n'y aura de la place que pour deux. Que faire ? Les deux grands pingouins mettent le petit dans une valise et les voilà embarqués pour 40 jours ! Auteur de théâtre, Ulrich Hub concocte des dialogues et des situations savoureux à partir du mythe biblique. Bien entendu, il est préférable de connaître au préalable l'histoire de l'Arche de Noé pour goûter toutes les subtilités de ce texte. Néanmoins, les personnages sont campés avec une telle précision et les scènes installées de manière si claire que même un lecteur qui n'aurait jamais entendu l'histoire de l'Arche comprendrait l'humour qui se détache de l'ensemble. Jörg Mühle esquisse en quelques traits des silhouettes également irrésistibles. On navigue dans l'absurde tout en posant des questions essentielles : quelle est la place de chacun dans un groupe ? Dieu existe-t-il ? Pourquoi obéit-on ? À la lecture, on imagine sans peine le voyage avec tous ces animaux qui ne cohabitent pas forcément dans le calme (certains en mangeraient bien d'autres) et on s'amuse des efforts de la colombe, toujours débordée, un peu suffisante, qui essaie d'organiser la vie à bord pendant que les pingouins continuent de mettre toute leur énergie à dissimuler l'existence de leur comparse afin qu'il ne finisse pas à la mer. Mais au fait, les pingouins, ça sait nager, non ?

Alice Jeunesse (Les romans), 2009 (2008) - EAN 9782874261138 - 12 €

❊ LES MONTS DE L'ÉLÉPHANT 12+

Ⓐ JEAN-FRANÇOIS CHABAS

Il n'y a pas que les pauvres qui ont des problèmes familiaux ! Jean-François Chabas s'amuse de cette famille « de Lespagne » qui semble accumuler toutes les tares, entre un père malade mental et un des fils devenu voleur en passant par une mère psychorigide. La verve de l'auteur fait beaucoup pour l'humour des situations et des répliques. Et comme il aime surprendre, il modifie totalement la tonalité du récit dans les dernières pages.

École des loisirs (Médium), 2009 - EAN 9782211092074 - 9,50 €

❊ L'EMBROUILLE ENTRE KIFFO ET LE PITBULL 13+

Ⓐ BARRY JONSBERG

Calma, la fille, et Kiffo, le garçon, sont amis depuis l'enfance. Le pitbull, c'est leur nouvelle prof d'anglais. Et l'on imagine bien que ce n'est pas son véritable nom ! Mais les deux adolescents ne sont pas les derniers à manier l'ironie et l'humour en tout genre, même quand il s'agit d'enquêter sur leur prof. Calma, la narratrice, n'a, quoi qu'il en soit, pas sa langue dans sa poche !

Flammarion, 2006 - EAN 9782081631427 - 8 €

❊ MON PÈRE EST UN PARRAIN 13+

Ⓐ GORDON KORMAN

Être le fils d'un parrain du Milieu, ce n'est déjà pas de tout repos. Quand en plus on a le béguin pour la fille de l'agent du FBI qui tente de mettre votre père en prison, ça se complique encore davantage. Le jeune Vince va devoir affronter des situations tragiques, pour lui, et hilarantes, pour le lecteur. À lire le tome 2 : Embrouille à Hollywood.

Gallimard Jeunesse (Hors série littérature), 2005 - 2 vol.
1, Mon père est un parrain - EAN 9782070558889 - 12 €

❊ VOL, ENVOL 12+

Ⓐ MONIKA FETH

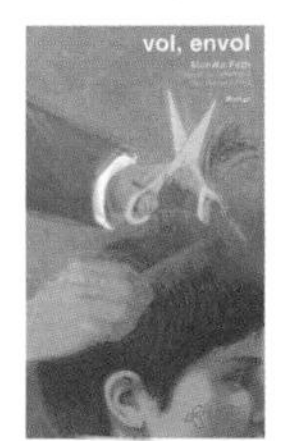

Ah ! La famille ! Peut-on changer de voie quand on est issu d'une famille de voleurs et que tous les membres sont fiers de l'être ? On peut vite passer pour un renégat ! Il y a eu une première rébellion avec Freddie qui souhaite devenir coiffeur et maintenant c'est Dolorès qui tombe amoureuse du fils d'un policier. Les valeurs se perdent !

Thierry Magnier (Roman), 2006 - EAN 9782844205155 - 8,50 €

❊ LE GARÇON QUI AVAIT PERDU LA FACE 11+

Ⓐ LOUIS SACHAR

Forcé par son groupe d'amis, David vole la canne d'une vieille dame et lui fait un geste obscène. Mais il se sent tellement coupable qu'il pense qu'elle lui a jeté un sort. Et il commence à lui arriver les mêmes avanies qu'il a fait subir à cette pauvre femme. Un brin de fantastique et de réflexion morale environnés par un comique de situation.

École des loisirs (Neuf), 2003 - EAN 9782211066167 - 11 €

❊ JOURNAL D'UN DÉGONFLÉ 11+

Ⓐ JEFF KINNEY

Greg Heffley est plutôt nul et assez trouillard. Évidemment, il ne se vit pas comme tel. La lecture de son « carnet de bord » est, à ce propos, édifiante pour le lecteur qui ne peut que s'amuser de la différence entre le réel et les rêves de Greg, dessins à l'appui. Les collégiens s'amuseront beaucoup de Greg et trouveront qu'ils n'ont rien à voir avec lui… Enfin, c'est ce qu'ils diront.

Seuil (Fiction grand format), 2009 (2008) - 4 vol. - 1, Carnet de bord de Greg Heffley - EAN 9782021011968 - 10,90 €

❊ POURQUOI J'AI MANGÉ MON PÈRE 13+

Ⓐ ROY LEWIS

C'est simple, mais il fallait y penser : imaginons que les hommes préhistoriques portent sur eux-mêmes le regard scientifique que nous leur portons. Cela donne ce roman que les Monty Python ne renieraient pas. Les jeunes s'essaient aux découvertes scientifiques pendant que le vieil « Oncle Vania » prône le retour aux arbres. Toute ressemblance avec notre société…

Pocket Jeunesse (jeunes adultes), 2007 (1960) - EAN 9782266143073 - 4,70 €

❊ NÉANDERTAL (ET DES POUSSIÈRES) : SANS LA MOINDRE PRÉFACE D'YVES COPPENS 12+

Ⓐ YANN FASTIER Ⓘ MORVANDIAU

Et si les jeunes néandertaliens n'étaient pas si différents de nos jeunes d'aujourd'hui ? Yann Fastier a visiblement des informations de première main puisqu'il nous livre des petites histoires d'arnaques, de délires entre copains, de quotidien, quoi. Tout cela semble peu probable ? Comme c'est impossible à vérifier, pourquoi ne pas s'en amuser ? Et puis Yves Coppens n'a pas lu le texte. Alors…

Atelier du poisson soluble (En queue-de-poisson), 2011 - EAN 9782358710183 - 14 €

J'aimerais un livre qui parle…

… D'HUMOUR

✲ Le Hollandais sans peine 8+

A MARIE-AUDE MURAIL
I MICHEL GAY

Comment communiquer quand on ne parle pas la même langue ? Simple. En inventer une autre. C'est pratique, et en plus les parents pensent que vous avez appris rapidement une langue qu'ils ne maîtrisent pas.

École des loisirs (Mouche), 2010 (1989)
EAN 9782211201346 - 6,50 €

✲ Treize à la douzaine 12+

A FRANK B GILBRETH, ERNESTINE GILBRETH
I ROLAND SABATIER

Une famille de douze enfants, c'est génial. Mais il faut un peu organiser les choses, sinon, c'est vite le chaos. Heureusement, monsieur Gilbreth est inventif. Un peu trop même. Un classique adapté plusieurs fois au cinéma.

Gallimard Jeunesse (Folio Junior), 2008 (1983)
EAN 9782070617128 - 6,70 €

✲ La boxe du grand accomplissement 12+

A JEAN-FRANÇOIS CHABAS

Le héros de cette histoire effectue un véritable parcours initiatique à travers la pratique des arts martiaux afin d'arriver à une sagesse… de toute façon inatteignable. En attendant, le chemin est assez burlesque.

École des loisirs (Médium), 2004
EAN 9782211075701 - 11 €

✲ Malika Secouss 12+

AI TÉHEM

Malika et sa bande ne manquent pas de ressort pour affronter les « secousses » de la cité de banlieue où ils vivent. Mais finalement, malgré les embrouilles, ils restent « cools ».

Glénat, 1998 - 9 vol. - 1, Rêves parties
EAN 9782723425766 - 9,95 €

✲ Anastasia Krupnik 12+

A LOIS LOWRY

Le quotidien d'Anastasia est plutôt banal, mais il prend toute sa dimension grâce au regard de cette jeune héroïne. On sourit à ses petits déboires.

École des loisirs (Neuf), 1996 - 8 vol.
Anastasia Krupnik - EAN 9782211039871 - 10 €

✲ Parker et Badger 11+

AI MARC CUADRADO

Dans la série des duos improbables, voici celui qui réunit un « adulescent » paresseux et un blaireau travailleur. C'est effectivement un « duo de choc », mais pas trop violent, le choc.

Dupuis, 2003 - 9 vol. - 1, Duo de choc
EAN 9782800132976 - 10,45 €

✲ Calvin et Hobbes 11+

AI BILL WATTERSON

À la fois humoristique, onirique et poétique, cette série a gardé tout son charme et on lit et relit les échanges entre le garçonnet et son tigre avec jubilation.

Hors collection, 2010 - 24 vol. - 1, Adieu monde cruel !
EAN 9782258085718 - 6,90 €

✲ Garfield 11+

AI JIM DAVIS

On est tellement content de ne pas avoir un chat comme Garfield chez soi que l'on ne peut qu'éclater de rire en face de ce goinfre d'une totale mauvaise foi.

Dargaud, 2010 - 52 vol. - 1, Garfield prend du poids
EAN 9782205066838 - 10,45 €

✲ Le Chat 10+

AI PHILIPPE GELUCK

Philippe Geluck a beau produire énormément, à chaque réplique absurde du Chat, on se dit in petto : mais il a raison, comment personne n'y avait pensé avant ?

Casterman, 2008 (1983) - 16 vol. - 1, Le Chat
EAN 9782203013612 - 6,25 €

✲ Minou Jackson 10+

A SOPHIE DIEUAIDE

Les chats sont décidément une source d'inspiration sans fin. La vie de Minou va être bouleversée mais ces péripéties n'en restent pas moins assez cocasses.

Casterman, 2011 - 2 vol. - 1, Ma vie, par Minou Jackson chat de salon - EAN 9782203033283 - 5,25 €

✲ L'ours Barnabé : l'intégrale 10+

AI PHILIPPE COUDRAY

La logique de cet ours a beau être absurde, elle est cependant imparable. Et le dessin, qui lui donne un air impénétrable, renforce son aplomb.

La Boîte à bulles, 2010 - EAN 9782849530856 - 22 €

✲ Le Petit Napperon rouge 8+

A HECTOR HUGO

Parmi les nombreuses parodies du Petit Chaperon rouge, *celle d'Hector Hugo a le mérite de pouvoir être lue très jeune et d'offrir toute une série de situations plus originales les unes que les autres.*

Syros Jeunesse (Mini Syros), 2008
EAN 9782748506556 - 2,95 €

✲ Titeuf 11+

AI ZEP

On ne présente plus Titeuf qui continue à faire la joie des plus jeunes. Un véritable phénomène de société !

Glénat, 2010 - 12 vol. - 1, Dieu, le sexe et les bretelles - EAN 9782723477055 - 9,95 €

✲ Mafalda 11+

AI QUINO

Le regard acéré de Mafalda sur la société ne manque pas d'irriter les adultes. Mais ils doivent bien se rendre à l'évidence : elle a souvent raison.

Glénat, 2010 (1964) - 12 vol. - 1, Mafalda
EAN 9782723478168 - 9,95 €

✲ Cascades et gaufres à gogo 12+

A MARIA PARR

L'ambiance et les personnages évoquent ceux d'Astrid Lindgren, mais le roman possède sa tonalité propre, entre humour et émotion. Et une fraicheur réjouissante.

Thierry Magnier (Roman), 2009
EAN 9782844207234 - 10,50 €

✲ Emil 8+

A ASTRID LINDGREN

Dans des éditions précédentes, Emil se nommait Zozo la tornade. Il a retrouvé son nom original mais n'a pas arrêté les bêtises. Un pendant masculin de Fifi Brindacier.

Le Livre de Poche Jeunesse, 2008 (1973) - 3 vol. 1, Les farces d'Emil - EAN 9782013225700 - 4,90 €

✲ Kid Paddle 9+

AI MIDAM

On comprend l'engouement des jeunes pour cette série : le héros confond souvent le monde des jeux vidéo avec la réalité. Les lecteurs, eux, ne sont pas dupes et s'en amusent.

Dupuis, 2000 (1996) - 12 vol. - 1, Jeux de vilains
EAN 9782800122540 - 10,45 €

✲ Game Over 9+

AI MIDAM

Personnage issu de Kid Paddle *(c'est le double virtuel du héros) Petit Barbare est devenu un personnage à part entière avec ses propres albums. C'est d'aussi « bon goût » que* Kid Paddle *et donc, totalement jubilatoire pour les jeunes lecteurs.*

Dupuis, 2004 - 5 vol. - 1, Blork raider
EAN 9782800135922 - 10,45 €

Si l'humour est parfois difficile à faire passer par le biais de la lecture, l'image peut être un bon médium pour rire en famille. Les DVD étant de moins en moins chers et le téléchargement légal commençant à se développer de manière conséquente, il est facile de trouver des films, même anciens, qui feront la joie des enfants dès leur plus jeune âge. Il est toujours possible de trouver également quelques perles dans les médiathèques. Et parfois l'inscription y est gratuite, même pour emprunter des DVD. Renseignez-vous !

Retour aux sources

- **Harold Lloyd - Monte là-dessus !**
  Un des rois du cinéma burlesque
- **Buster Keaton - Le mécano de la générale**
  L'homme qui ne rit jamais
- **Marx Brothers - Les Marx au grand magasin**
  Loufoque et absurde
- **Monty Python - Sacré Graal**
- Pour les plus grands qui connaissent un peu le **Roi Arthur**
- Et évidemment tout **Chaplin** et tout **Laurel et Hardy**

À voir aussi les adaptations de romans pour la jeunesse

- **Madame Doubtfire -** Chris Colombus
- **Treize à la douzaine** (plusieurs adaptations)

- **Nasreddine** 11+
  A JIHAD DARWICHE
  Albin Michel Jeunesse (Sagesses et malices), 2000
  3 vol. - 1, Sagesses et malices de Nasreddine, le fou qui était sage - EAN 9782226112033 - 12,50 €
- **Debout sur un pied** 11+
  A NINA JAFFE STEVE ZEITLIN
  École des loisirs (Neuf), 1994 - EAN 9782211023597 - 7 €
- **Chroniques du marais qui pue** 12+
  A PAUL STEWART I CHRIS RIDDELL
  Milan Jeunesse (Fiction), 2005 - 3 vol.
  1, La chasse à l'ogre - EAN 9782745917898 - 8,50 €
- **Gon** 9+
  AI MASASHI TANAKA
  Casterman, 2006 - 7 vol. - Gon
  EAN 9782203373907 - 5,95 €
- **Dix dodus dindons et quatre coqs coquets** 10+
  A JEAN-HUGUES MALINEAU
  Albin Michel Jeunesse, 2010
  EAN 9782226193469 - 9,90 €
- **Nasr Eddin Hodja, un drôle d'idiot** 11+
  A JEAN-LOUIS MAUNOURY
  Motus, 1996 - EAN 9782907354424 - 12,50 €
- **Quand Shlemiel s'en fut à Varsovie et autres contes** 12+
  A ISAAC BASHEVIS SINGER
  Seuil Jeunesse, 1999 - EAN 9782020307215 - 9,95 €
- **90 livres cultes à l'usage des personnes pressées** 13+
  AI HENRIK LANGE
  Çà et là, 2010 - EAN 9782916207377 - 9 €
- **Les cha-rades et les chats-mots : jeux de mots traditionnels** 10+
  A JEAN-HUGUES MALINEAU
  Albin Michel Jeunesse, 2010
  EAN 9782226193452 - 9,90 €
- **Le mot vache et le veau mâche : des contrepèteries pour tous** 10+
  A JOËL MARTIN I RÉMY LE GOISTRE
  Albin Michel Jeunesse (Humour en mot), 2011
  EAN 9782226218391 - 9,90 €

REGARD CRITIQUE

Dans certaines catégories de contes, on trouve des personnages à l'humour très particulier, parfois involontaire, que l'on appelle les « fous sages ». Ils ont leur logique propre qui laisse souvent leur interlocuteur pantois tant ce dernier a du mal à savoir s'il a en face de lui un génie absolu ou un sombre crétin. Les fous sages peuvent donc multiplier les facéties parfois parce qu'ils sont retors, parfois parce qu'ils prennent simplement une expression au pied de la lettre. Parmi ces personnages, l'un des plus connus est certainement Nasreddine Hodja (il existe plusieurs orthographes de son nom) dont certains disent qu'il a vraiment existé. On revendique sa paternité de la Turquie à l'Iran mais le personnage a aussi des avatars au Maghreb sous le nom de Djeha et en Égypte sous celui de Goha.

Mieux vaut goûter un peu de l'esprit du maître pour savoir à quoi s'en tenir :
« Un voisin trouve Nasreddine à quatre pattes au milieu de la route éclairée par la lune, et lui demande ce qu'il fait là.
– *Je cherche une bague que j'ai perdue là-bas, au pied du mur de ma maison.*
– *Mais pourquoi la cherches-tu ici, au milieu de la rue alors ?* Rétorque le voisin.
– *Mais parce que là-bas, on ne voit rien, alors qu'ici c'est éclairé voyons !* »
Imparable.

... des relations amoureuses

AH ! LES HISTOIRES D'AMOUR ! S'IL EST UN SUJET QUI INTÉRESSE FILLES ET GARÇONS, C'EST BIEN CELUI-CI. Et pourtant, on classe souvent les histoires qui en parlent dans la « littérature pour fille ». Grave erreur ! C'est mettre de côté au moins la moitié du public qui est concerné. Comme pour d'autres genres, certaines collections sont très marquées et repérables, mais les ouvrages parlant de relations amoureuses ne sont pas forcément des produits fabriqués à la chaîne. Il n'est pas rare de trouver une petite idylle naissante dans un roman de Science-Fiction, de Fantasy ou même un roman policier. C'est pourquoi les titres qui suivent pourront être des albums, des documentaires, des romans abordant aussi bien le sentiment amoureux que la sexualité.

Lettres d'amour de 0 à 10 9+

A SUSIE MORGENSTERN

Il est des rencontres qui changent une vie. Quand Victoire déboule dans la vie d'Ernest, c'est un ouragan de couleurs qui balaye toute la grisaille ambiante de ce petit garçon de 10 ans (par ailleurs très beau, selon Victoire et les filles de la classe). Il faut dire que Victoire porte bien son nom et qu'elle a la ferme intention de gagner le cœur d'Ernest. Susie Morgenstern décrit un éveil à la vie, pas à pas, mais avec un dynamisme certain. Tout le récit est construit comme une éclosion : au début, Ernest est enfermé dans sa bulle, complètement imperméable aux autres. L'auteur rend cette monotonie par une écriture simple, parfaitement adaptée au ressenti d'Ernest qui regarde uniquement vers le passé : il vit avec sa grand-mère et tente de déchiffrer la lettre d'un grand-père disparu. Petit à petit, le récit s'anime, d'abord par à-coups, au rythme des apparitions de Victoire puis, quand la relation entre les deux enfants s'établit, c'est la fluidité qui prime. Au final, le lecteur a presque l'impression d'avoir vu Ernest changer physiquement. Le roman, très simple d'accès, est aussi, à le regarder de plus près, une description sensible du sentiment amoureux qui fait changer le regard sur les choses et modifie le comportement. Et c'est la construction du récit et l'écriture même qui font ressentir cette progression, davantage même que les faits racontés. C'est une belle manière de prendre au sérieux les histoires d'amour qui commencent dans l'enfance.

École des loisirs (Neuf), 2004 - EAN 9782211036931 - 8,50 €

❊ Stargirl 13+

Ⓐ JERRY SPINELLI

Leo, bien intégré dans le lycée, tombe amoureux de la nouvelle venue qui se fait appeler Stargirl. Si les excentricités de Stargirl amusent au début, elle est vite mise au ban tant elle ne correspond pas à la norme. Et Leo risque d'en subir les conséquences. Que va-t-il choisir ? Son amour pour Stargirl ou sa place dans le groupe ? À lire aussi, la suite : Signé Stargirl.

Flammarion (Tribal), 2003 - 2 vol. - 1, Stargirl - EAN 9782081620087 - 10 €

❊ Nulle et grande gueule 13+

Ⓐ JOYCE CAROL OATES

Ursula, c'est la Nulle. Matt, lui, est plutôt grande gueule. Ce qui va lui jouer des tours. Il lance un jour une mauvaise blague que certains prennent au sérieux et le voilà interrogé par la police, rejeté de tous. Seule Ursula, qui ne le connaissait pas, a le courage de prendre sa défense. Un roman d'une grande auteure pour adultes qui a su saisir les fragilités et les forces de l'adolescence.

Gallimard (Folio), 2007 - EAN 9782070425716 - 7,30 €

❊ Le secret de Garmann 8+

Ⓐ STIAN HOLE

Il grandit Garmann. Voici le temps du cœur qui bat pour une fille. Malheureusement, elle a une jumelle pas vraiment sympathique. Les tourtereaux arriveront-ils à s'isoler ? C'est toujours un plaisir de retrouver l'univers de Stian Hole, ses « collages » surprenants faits de photos et de dessins et son texte poétique, au vocabulaire imagé, est parfaitement rendu par la traduction de Jean-Baptiste Coursaud.

Albin Michel Jeunesse, 2011 - 3 vol. - EAN9782226209177 - 12,50 €

❊ Loin des yeux, près du cœur *suivi de* La fille de nulle part 8+

Ⓐ THIERRY LENAIN Ⓘ ELÈNE USDIN

Deux jolies histoires d'amour regroupées dans un même volume : Hugo, aveugle, tombe amoureux d'Aïssata qui va bientôt être expulsée vers le Mali. Pablo ne s'intéresse qu'aux extra-terrestres jusqu'au jour où Mila arrive dans sa classe. Thierry Lenain aime bousculer les conventions, même pour les jeunes lecteurs.

Nathan (Poche 8-10 ans), 2010 - EAN 9782092508015 - 4,80 €

❊ Connexions dangereuses 13+

Ⓐ SARAH K.

À l'heure d'Internet, Les liaisons dangereuses *de Pierre Choderlos de Laclos se seraient certainement déroulées par le biais de mails. Et seraient devenues des connexions dangereuses ? C'est ce qu'a imaginé Sarah K. en faisant rejouer le jeu trouble de Merteuil et Valmont par des adolescents d'aujourd'hui.*

Flammarion (Tribal), 2011 (2002) - EAN 9782081247581 - 8 €

❊ Loin, très loin de tout 13+

Ⓐ URSULA KROEBER LE GUIN

Ursula Le Guin est surtout connue aujourd'hui comme une auteure de Fantasy, son Cycle de Terremer *étant devenu un classique. Espérons que ses fans tomberont aussi sur ce court roman évoquant un premier amour adolescent. Owen et Nathalie se sentaient différents des autres et de leurs emballements factices, maintenant ils sont différents, ensemble.*

Actes Sud Junior (Babel J), 2006 (1976) - EAN 9782742760589 - 6,50 €

❊ L'âge d'ange 13+

Ⓐ ANNE PERCIN

Les anges n'ont pas de sexe. L'âge d'ange est-il celui où l'ambiguïté est reine ? Quoi qu'il en soit, Anne Percin joue de cette ambivalence car il est impossible au début du roman de savoir si c'est une fille ou un garçon qui raconte cette histoire d'amour/amitié. Tout le récit est construit sur la dualité : fille/garçon, riche/pauvre, intégré/exclu. Mais les pistes se brouillent. L'auteure est toujours à la frontière du cliché, mais le charme opère grâce à l'écriture et aux personnages touchants.

École des loisirs (Médium), 2008 - EAN 9782211092180 - 8 €

❊ Tous les garçons et les filles 13+

Ⓐ JÉRÔME LAMBERT

Julien est plutôt timide. Il ne va pas naturellement vers les autres. Et l'arrivée dans ce nouveau lycée est difficile. Il faut jouer un rôle. Car Julien se sent, se sait, différent : il est attiré par les garçons. Comment réagiraient les autres s'ils savaient ? Un roman qui tente de faire ressentir la difficulté d'être soi à 15 ans.

École des loisirs (Médium), 2003 - EAN9782211068864 - 9 €

J'aimerais un livre qui parle...

...des relations amoureuses

La première fois 14+

Huit nouvelles sur la « première fois » écrites par certains des grands noms de la littérature jeunesse : Anne Fine, Melvin Burgess, Patrick Ness, Mary Hooper...

Gallimard Jeunesse (Scripto)
EAN 9782070696864 - 9,50 €

La sexualité expliquée aux ados 12+

(A) MAGALI CLAUSENER
(I) SOLEDAD

La collection Oxygène s'est spécialisée dans les questions d'adolescents. Les réponses sont parfois un peu légères, mais les ados les attendent.

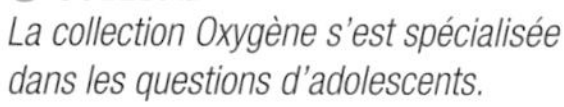

De La Martinière Jeunesse (Oxygène), 2009
EAN 9782732438566 - 11 €

Une fille comme ça 14+

(A) SARA ZARR

Une fille comme ça, une fille facile. C'est l'image que doit supporter Deanna depuis plusieurs années. Un très beau roman sur le parcours d'une jeune femme qui veut retrouver sa dignité.

Thierry Magnier (Roman), 2008
EAN 9782844206671 - 10,50 €

L'amour en chaussettes 12+

(A) GUDULE

Gudule aborde de front et sans faux-semblants le sexe à l'adolescence. Cela a choqué, à l'époque, certains adultes. Ce doit être que l'auteure s'était vraiment mise à la place des adolescents.

Thierry Magnier (Roman), 2006 (1999)
EAN 9782844204141 - 8 €

Zoé et Chloé 10+

(A) SUE LIMB

Sue Limb se spécialise dans les séries pour filles. Ce n'est pas très original, mais cela fonctionne parfaitement : les jeunes s'y reconnaissent.

Gallimard Jeunesse (Folio Junior), 2010 - 3 vol.
1, Cherche garçon sachant danser
EAN 9782070628759 - 6,70 €

15 ans/16 ans 14+

(A) SUE LIMB

Toujours de Sue Limb, mais dans une version pour les plus grandes : la série tourne autour des premières amours, des premiers chagrins.

Gallimard Jeunesse (Scripto), 2008 - 4 vol.
1, 15 ans : welcome to England
EAN 9782070614882 - 11,50 €

Peau de pêche 13+

(A) JODI LYNN ANDERSON

L'histoire d'une amitié entre trois filles différentes mais qui se retrouvent autour des mêmes interrogations, dans la lignée des Quatre filles et un Jean *d'Ann Brashares.*

Albin Michel Jeunesse (Wiz), 2006 - 3 vol.
Peau de pêche - EAN 9782226170132 - 13,50 €

La nuit des temps 14+

(A) RENÉ BARJAVEL

L'intrigue utilise les ressorts de la Science-Fiction pour donner à cette histoire d'amour une dimension éternelle. Un roman devenu un classique.

Pocket, 2005 - EAN 9782266152426 - 6,60 €

Je ne t'aime pas, Paulus 13+

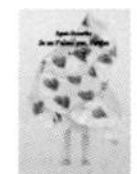

(A) AGNÈS DESARTHE

Impossible pour Julia d'imaginer que Paulus, le plus beau garçon du lycée, est amoureux d'elle. Ce doit être une plaisanterie. Et si c'était vrai ? La suite de l'histoire se nomme : Je ne t'aime toujours pas, Paulus. Forcément.

École des loisirs (Médium), 1992
EAN 9782211067171 - 7 €

Ben est amoureux d'Anna 10+

(A) PETER HÄRTLING

Comment sait-on qu'on est amoureux ? Ben est amoureux d'Anna, il en est certain. Mais Anna, que ressent-elle pour Ben ? Peter Hartling a su retrouver la candeur et le sérieux des premiers émois d'enfants.

Pocket Jeunesse, 1998 (1981) - EAN 9782266086400
5,10 €

Poisson-lune 13+

(A) ALEX COUSSEAU

Marius, dit Miro, est aveugle de naissance. Ce qui ne l'empêche pas d'être entouré d'amis et surtout de tomber amoureux de Luce, sa jeune voisine, sa Lune, lumière de sa nuit.

Rouergue (DoaDo), 2004 - EAN 9782841565788 - 7,50 €

Un peu, beaucoup, à la folie 10+

(A) CATHERINE SANEJOUAND

Léa et Valentine sont amoureuses. De Théo ? Valentine, c'est certain. Mais Léa ? Pourquoi ne veut-elle pas dire qui elle porte dans son cœur ?

Thierry Magnier (Petite poche), 2011
EAN 9782844208866 - 5 €

Star-crossed lovers 13+

(A) MIKAËL OLLIVIER

Leur condition sociale les sépare, mais ce n'est pas ce qui va les empêcher de s'aimer. Sur fond de conflit dans une usine, ces Roméo et Juliette des temps modernes vont devoir lutter aussi pour leur amour.

Thierry Magnier (Roman), 2006 (2002)
EAN 9782844204233 - 8 €

L'été des becfigues 11+

(A) EGLAL ERRERA

Cet été-là, Rebecca a découvert le sentiment amoureux et les premiers élans sensuels auprès de Dahoud, un amour pur et évident, un amour d'enfants de 11 ans... qui ne pourra pas durer. Voir aussi les trois autres romans ayant Rebecca pour héroïne.

Actes Sud Junior (cadet), 2003
EAN 9782742745234 - 6 €

Foot d'amour 12+

(A) HUBERT BEN KEMOUN

Sylvain est gardien de but. Il se concentre donc totalement sur le jeu, le ballon, l'équipe. Enfin, s'il n'y a pas trop de filles dans les gradins.

Thierry Magnier (Roman), 2008 (2005)
EAN 9782844205087 - 7,50 €

Amour, impératif et pistolet 8+

(A) HUBERT BEN KEMOUN

Il faut déjà avoir du courage pour écrire une lettre d'amour à une fille. Mais si ce n'est pas la bonne personne qui la reçoit et qu'en plus la classe est prise en otage par un amoureux de la maîtresse... Cela devient compliqué !

Thierry Magnier (Petite poche), 2009
EAN 9782844207746 - 5 €

Garçon ou fille

Ⓐ TERENCE BLACKER

Une manière humoristique d'aborder la question du genre. Un petit dur est obligé de se déguiser en fille et séduit plus que lorsqu'il était un « garçon ». Même si, à la fin, tout retourne à l'état initial, le parcours est assez réussi.

Gallimard Jeunesse (Scripto), 2005 - EAN 9782070509546 - 11,50 €

La différence des sexes explique-t-elle leur inégalité ? Petite conférence

Ⓐ FRANÇOISE HÉRITIER

Ces conférences données au Nouveau Théâtre de Montreuil par des spécialistes de leur domaine qui se mettent à la portée des enfants sont à découvrir en livre pour ceux qui ne pourraient pas s'y rendre.

Bayard (Les petites conférences), 2010 - EAN 9782227481435 - 12 €

L'Histoire de Julie qui avait une ombre de garçon

Ⓐ CHRISTIAN BRUEL, ANNE BOZELLEC, ANNE GALLAND

Un album de référence malheureusement épuisé.

Le Sourire qui mord, 1976 - Être, 2009

Les Baisers des autres 13+

Ⓐ CARINE TARDIEU

Actes Sud Junior (Ciné roman), 2006
EAN 9782742760824 - 13,90 €

Je n'aimerai que toi 12+

Ⓐ BERTRAND FERRIER

Flammarion (Tribal), 2002 - EAN 9782081613676 - 7 €

160 questions strictement reservées aux ados 13+

Ⓐ ANNE-MARIE THOMAZEAU

De La Martinière Jeunesse (Oxygène), 2008
EAN 9782732438238 - 19,95 €

Sa Seigneurie 13+

Ⓐ SHAÏNE CASSIM

Flammarion (Tribal), 2010 - EAN 9782081244962 - 8 €

Sexy 14+

Ⓐ JOYCE CAROL OATES

Gallimard (Folio), 2009 - EAN 9782070380831 - 6,20 €

L'Escalier 13+

Ⓐ FRÉDÉRIC MERMOUD

Actes Sud Junior (Ciné roman), 2006
EAN 9782742760367 - 13,90 €

Filles, garçons, que de sentiments ! 13+

De La Martinière Jeunesse, 2011
EAN 9782732443614 - 14,90 €

Sanguine 13+

Ⓐ ALEX COUSSEAU

Rouergue (DoaDo), 2005 - EAN 9782841566747 - 7 €

La Fille du papillon 14+

Ⓐ ANNE MULPAS

Sarbacane (Exprim'), 2006 - EAN 9782848651408 - 9 €

Princesse Saphir 12+

Ⓐ OSAMU TEZUKA

Soleil, 2005 - 3 vol. - Princesse Saphir
EAN 9782845659704 - 6,95 €

Regard critique

La question du « genre » fait parler d'elle depuis quelques années dans les milieux universitaires et les médias s'en emparent parfois lorsque surgissent des questions de société comme l'homoparentalité, par exemple.

La littérature pour la jeunesse, à sa manière, aborde aussi la question concernant les différences entre les garçons et les filles. Si les années 1970 s'étaient intéressées au sujet (on se souvient de *L'Histoire de Julie qui avait une ombre de garçon* parue aux éditions du Sourire qui mord en 1976, rééditée en 2009 et aujourd'hui de nouveau indisponible), l'époque récente a plutôt vu revenir un certain nombre de clichés et un clivage fille/garçon, y compris dans l'offre éditoriale, que l'on pensait révolus.

... D'HISTOIRE

LE ROMAN HISTORIQUE EST UN GENRE À LUI TOUT SEUL QUI A ACQUIS DEPUIS LONGTEMPS SES LETTRES DE NOBLESSE, EN PARTICULIER AVEC ALEXANDRE DUMAS. En littérature de jeunesse, ces écrits pullulent avec plus ou moins de bonheur. Les programmes scolaires aidant, ou les passions des jeunes, il y a pléthore de romans se déroulant au Moyen Âge ou dans l'Antiquité grecque, romaine et égyptienne. On aura plus de mal à trouver des récits qui se passent en Mésopotamie ! La Seconde Guerre mondiale est un sujet assez bien servi par l'édition. Les titres de cette sélection proposent des entrées différentes dans le genre, du récit le plus classique jusqu'au texte le plus étrange de par sa démarche littéraire. Tous donnent, en tout cas, envie de chercher plus loin pour savoir où se situe la fiction et où est la réalité. Le mélange est parfois subtil : chez Dumas, encore lui, on peut suivre à la trace sur un plan de Paris le déplacement d'un mousquetaire. Mais dans des rues du XIXe siècle qui n'existaient pas au XVIIe. Restez vigilants !

UN PORT AU FIL DU TEMPS : L'HISTOIRE D'UN SITE PORTUAIRE, DEPUIS LE CAMPEMENT PRÉHISTORIQUE JUSQU'AU GRAND PORT INDUSTRIEL D'AUJOURD'HUI

9+

Ⓐ ANNE MILLARD Ⓘ STEVE NOON

Steve Noon © Gallimard, 2006

À n'en pas douter, les tablettes numériques risquent de révolutionner dans un avenir peut-être plus proche qu'on ne le croit l'aspect des ouvrages documentaires. En attendant ce changement, on peut encore profiter de livres aux dimensions non négligeables qui permettent de rester longtemps à observer des doubles-pages particulièrement travaillées. Beaucoup de jeunes lecteurs apprécient de découvrir ces livres, seuls ou à plusieurs, et d'apprendre, tout en rêvant un peu. *Un port au fil du temps* fait partie de ces ouvrages permettant plusieurs niveaux de lecture. Ainsi, le même décor défile sous les yeux du lecteur à travers d'immenses « tableaux » (plus de 70 cm une fois le livre ouvert), ici, un port, mais pris à différentes périodes de son évolution. Il est donc aisé de voir comment le paysage joue sur le choix du site effectué par l'Homme pour construire le port et comment il le transforme, au fil du temps, pour en améliorer l'efficacité. Chaque page regorge de détails et l'on peut s'attarder ou s'amuser à passer rapidement chaque page pour prendre la mesure des changements. Des textes courts commentent le tout. Le même principe est décliné sur plusieurs ouvrages : une ville, le Nil, une Cité du sud de l'Europe. Espérons que ces ouvrages existeront encore longtemps, au moins dans les bibliothèques ou que les éditeurs penseront à les garder dans leur catalogue de livres papier si tout le reste devient numérique.

Gallimard (Hors Série documentaire), 2006 - EAN 9782070576180 - 16 €

❊ Je suis Juan de Pareja : né esclave à Séville, élève en secret de Velázquez, peintre malgré tout 13+

Ⓐ ELIZABETH BORTON DE TREVIÑO

Le titre de l'ouvrage résume parfaitement son contenu, mais il faut néanmoins le lire pour goûter la beauté du texte et la complexité de l'histoire, inspirée de faits réels, de cet esclave qui voulut assouvir sa passion et développer son talent de peintre. Malgré sa condition, il eut la chance de croiser des personnages bienveillants et de finir affranchi.

École des loisirs (Médium), 1989 (1965) - EAN 9782211091022 - 8,50 €

❊ Le livre de Catherine 13+

Ⓐ KAREN CUSHMAN

Karen Cushman a un penchant pour les héroïnes au caractère bien trempé et cette Catherine ne déroge pas à la règle. Du haut de ses treize ans, elle a bien l'intention de ne pas se laisser marier à n'importe qui (même si elle vit dans l'Angleterre du XIII*e siècle et que les femmes n'ont pas vraiment leur mot à dire). Grâce au journal qu'elle tient, le lecteur découvre le quotidien de cette époque et les ruses de Catherine pour rester célibataire.*

École des loisirs (Médium), 1998 - EAN 9782211036535 - 11 €

❊ Journal d'une sorcière 12+

Ⓐ CELIA REES

Dans ce XVII*e siècle anglais, on ne plaisante pas avec les accusations de sorcellerie. Mary est obligée de fuir en Amérique après que sa grand-mère a été jugée et condamnée à la pendaison. Si elle recrée à merveille l'ambiance et la dureté de l'époque, Celia Rees livre aussi, par le journal de Mary, une belle leçon de tolérance. À lire aussi, la suite :* Vies de sorcières.

Seuil Jeunesse, 2007 (2002) - 2 vol. - 1, Journal d'une sorcière
EAN 9782020965705 - 14,80 €

❊ Soldat Peaceful 13+

Ⓐ MICHAEL MORPURGO

Quand un écrivain de la trempe de Michael Morpurgo s'empare d'un sujet comme celui-ci, les fusillés pour désertion pendant la Guerre de 1914, il le fait par le biais de l'empathie et de la compassion, au plus près des hommes. Pas de grande fresque sur des champs de bataille, c'est l'absurdité et la douleur des familles broyées qui dominent.

Gallimard Jeunesse, 2004 (2003) - EAN 9782070557936 - 13,50 €

❊ L'arbre de capulies 12+

Ⓐ ESTER ROTA GASPERONI

L'auteure a réécrit des parties de l'ouvrage pour cette réédition d'un titre paru autrefois à L'École des loisirs. Mais l'essentiel est là : le départ des Raffaelli pour l'Argentine après la mort de Mussolini, l'amour d'Eva pour un Indien, le racisme de sa famille. Les deux autres romans narrant l'histoire d'Eva, Orage sur le Lac *et* L'année américaine *sont toujours disponibles, quant à eux, à L'École des loisirs.*

Actes Sud Junior (Ado), 2006 (1995) - 3 vol. (à L'École des loisirs)
L'Arbre de capulies - EAN 9782742758500 - 9,50 €

❊ L'océan noir 13+

Ⓐ WILLIAM WILSON

L'auteur retrace toute l'histoire du peuple noir, de la traite négrière aux questions actuelles. William Wilson, artiste contemporain, a illustré son récit par de grandes tentures en tissu inspirées de l'art béninois. L'ouvrage est à la fois un documentaire essentiel autant qu'un livre d'art. C'est aussi un hommage de l'auteur à ses racines ancestrales, découvertes sur le tard.

Gallimard Jeunesse (Giboulées), 2000 - EAN 9782070625239 - 15,90 €

❊ Les esclavages : du XVIe siècle à nos jours 13+

Ⓐ CHRISTOPHE WARGNY

Cette collection, publiée par Autrement, a le mérite de choisir des sujets capitaux et de les traiter de manière transversale, proposant davantage un regard pertinent que la recherche de l'exhaustivité. L'iconographie, toujours riche, et la maquette, sobre, en font également un objet agréable à feuilleter.

Autrement Jeunesse (Junior Histoire), 2008 - EAN 9782746711808 - 11 €

❊ Chez les Indiens d'Amérique : Petit Castor, Amérique du Nord, 1804-1806 8+

Ⓐ ANNICK FOUCRIER-BINDA
Ⓘ HÉLÈNE GEORGES, FLORENT SILLORAY

Petit Castor va voir sa vie bouleversée par la venue des explorateurs blancs au sein de sa tribu. L'ouvrage rend compte du quotidien de cet indien des bords du Missouri au début du XIX*e siècle en alternant un récit et des passages plus documentaires.*

Gallimard Jeunesse (Le journal d'un enfant. Série Monde), 2006
EAN 9782070577729 - 12,90 €

J'aimerais un livre qui parle…

… D'HISTOIRE

❊ La loi du retour 12+

Ⓐ CLAUDE GUTMAN

Premier d'une trilogie, ce roman raconte l'histoire de David, 15 ans, qui va voir toute sa famille partir pour les camps de la mort pour ne jamais en revenir. Voir les suites : L'Hôtel du retour *et* Rue de Paris.

Gallimard Jeunesse (Folio Junior), 1997 (1989) - 3 vol. 1, La Maison vide - EAN 9782070629749 - 5,10 €

❊ Le chant de l'innocent 12+

Ⓐ IRÈNE COHEN-JANCA

Au début des années 1950, un jeune garçon, Rémi, va découvrir la vérité sur le comportement de ses parents pendant la guerre. L'auteure aborde un sujet difficile et s'en sort par la grande tenue de son récit.

Rouergue (DoaDo), 2008 - EAN 9782841569212 - 11 €

❊ Les carnets de Lieneke 8+

Ⓐ JACOB VAN DER HOEDEN

Ces carnets sont les reproductions des neuf originaux envoyés à Lieneke par son père, devenu Résistant, pendant la Seconde Guerre mondiale. Ils auraient dû être détruits mais la famille qui cachait cette enfant juive n'a pu se résoudre à les jeter.

École des loisirs, 2007 - EAN 9782211086622 - 14,80 €

❊ La grande peur sous les étoiles 8+

Ⓐ JO HOESTLANDT

Ⓘ JOHANNA KANG

Une jeune fille raconte son amitié avec Lydia quand elles avaient 8 ans. Mais on est en 1942, Lydia va bientôt devoir coudre une étoile jaune sur son manteau. Un texte très émouvant illustré avec grâce.

Syros (Albums), 2006 (1993) - EAN 9782748505283 7 €

❊ Un sac de billes 11+

Ⓐ JOSEPH JOFFO

Un classique de la littérature de témoignage : la fuite de jeunes Juifs à travers la France occupée.

Le Livre de Poche Jeunesse, 2008 (1973) EAN 9782013224581 - 5,50 €

❊ Maus 14+

Ⓐ ART SPIEGELMAN

Le chef-d'œuvre d'Art Spiegelman. Dialogue d'un fils avec son père, rescapé des camps. Les Juifs sont représentés comme des souris et les nazis en chats. Mais ce n'est pas un jeu.

Flammarion, 2000 (1981) - 2 vol. - 1, Maus : un survivant raconte - EAN 9782080660299 - 14 €

❊ Fumée 12+

Ⓐ ANTÓN FORTES

Ⓘ JOANNA CONCEJO

Le regard d'un jeune enfant dans un camp de concentration. Il raconte son quotidien, le lecteur suit ses pensées, jusqu'à la fin. Un texte et une illustration très forts.

OQO, 2009 - EAN 9788498711035 - 21 €

❊ Une île trop loin 12+

Ⓐ ANNIKA THOR

Inspiré de faits réels, ce roman suit la vie de deux sœurs autrichiennes envoyées en Suède par leurs parents qui craignent pour leur vie : elles sont juives et c'est la guerre.

Thierry Magnier (Roman), 2006 - 4 vol. Une île trop loin - EAN 9782844204103 - 10 €

❊ Gen d'Hiroshima 13+

Ⓐ KEIJI NAKAZAWA

Un manga devenu un classique : un récit en grande partie autobiographique se déroulant au moment du largage de la bombe atomique sur Hiroshima.

Vertige Graphic, 2003 - Gen d'Hiroshima EAN 9782849990735 - 18 €

❊ Le garçon en pyjama rayé : une fable 13+

Ⓐ JOHN BOYNE

Auschwitz vu par les yeux du jeune fils du directeur du camp. Il est trop jeune pour comprendre ce qu'il voit ou simplement refuse de le voir. Une fable qui évoque la manière de La vie est belle *de Roberto Benigni.*

Gallimard Jeunesse (Hors Série littérature), 2009 (2007) - EAN 9782070623976 - 9,50 €

❊ L'affaire Caïus 11+

Ⓐ HENRY WINTERFELD

Une enquête policière dans la Rome antique. Des enfants cherchent à savoir qui a profané le Temple de Minerve pour disculper un camarade. Par l'auteur des Enfants de Timpelbach.

Le Livre de Poche Jeunesse (Historique), 2007 (1953, 1973) - EAN 9782013224031 - 5,50 €

❊ Le messager d'Athènes 11+

Ⓐ ODILE WEULERSSE

Début de la Démocratie, guerre contre les Perses, rapports entre Sparte et Athènes… Un bon moyen de découvrir ou de réviser l'histoire grecque antique. Par une auteure spécialisée dans le roman historique.

Le Livre de Poche Jeunesse (Historique), 2007 (1985) EAN 9782013224086 - 5,50 €

❊ Les trois légions 12+

Ⓐ ROSEMARY SUTCLIFF

La sortie du film adapté du roman donnera peut-être des envies de lecture à ceux qui ne connaissaient pas l'histoire de Marcus sur les traces de l'étendard de la 9e légion.

Gallimard Jeunesse (Folio Junior), 2007 (1954) - 2 vol. 1, L'aigle de la 9e légion - EAN 9782070612543 - 7,70 €

❊ Titus Flaminius 15+

Ⓐ JEAN-FRANÇOIS NAHMIAS

Un véritable roman policier dans la Rome antique. L'enquête est passionnante et le contexte historique est rendu avec brio. Que demander de plus ? Un héros dont les aventures paraissent désormais aux éditions du Nouveau Monde.

Le Livre de Poche Jeunesse (Histoires de vie), 2007 (2003) - 5 vol. - 1, La fontaine aux vestales EAN 9782013224444 - 6,50 €

❊ Naissance d'une pyramide 9+

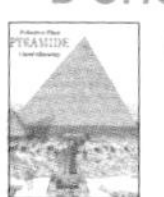

Ⓐ DAVID MACAULAY

Un très bel ouvrage qui montre en détail la construction d'une pyramide et tout ce qui l'entoure. On a rarement fait mieux depuis.

École des loisirs (Archimède), 2006 EAN 9782211085588 - 15 €

❊ L'année de la grande peste : journal d'Alice Paynton, 1665-1666 10+

Ⓐ PAMELA OLDFIELD

La grande peste de Londres, en 1665, racontée à travers le journal fictif d'une jeune femme.

Gallimard Jeunesse (Mon Histoire), 2005 EAN 9782070511549 - 8,95 €

❊ Le faucon déniché 10+

Ⓐ JEAN-CÔME NOGUÈS

L'histoire d'un jeune serf qui va posséder un faucon alors que ce privilège est réservé aux nobles.

Pocket Jeunesse, 2010 (1993) - EAN 9782266203579 4,70 €

❊ Chaân 10+

Ⓐ CHRISTINE FÉRET-FLEURY

Une héroïne de 12 ans qui n'hésite pas à se rebeller contre sa tribu en 3500 avant notre ère. Peu probable mais bien mené. Une lointaine cousine de Rahan.

Flammarion, 2010 (2003) - 3 vol. - 1, Chaân, la rebelle EAN 9782081242012 - 5,50 €

…D'HISTOIRE

À VOIR EN BIBLIOTHÈQUE

Un auteur à découvrir : David Macaulay

Auteur de nombreux documentaires dont quelques-uns sont réédités, David Macaulay a une formation d'architecte. C'est certainement pourquoi ses illustrations sont très didactiques et d'une précision fascinante. Il a aussi bien abordé la construction d'une cathédrale, d'une pyramide que d'une mosquée. Mais il s'est également penché sur cette étonnante machine qu'est le corps humain. Et comme cet auteur ne manque pas d'humour, il faut retrouver en bibliothèque cet ouvrage malheureusement épuisé qui décrit à merveille les projections des archéologues sur quelques découvertes faites dans une cité détruite. Sauf que la civilisation perdue en question est la nôtre. Le décalage entre ce que nous savons et les interprétations des archéologues est jubilatoire.

La civilisation perdue : naissance d'une archéologie
Deux coqs d'or, 1981 (L'École des loisirs, 1984)

…D'HISTOIRE

POUR REBONDIR

Collection Mon Histoire, chez Gallimard Jeunesse

Ces petits romans qui prennent l'aspect un peu précieux d'un journal intime abordent des périodes historiques très précises et souvent restreintes : une année, un fait réel, un moment important de l'histoire racontés par une jeune fille, le plus souvent. Mais il y a aussi des récits de garçons (pour des sujets sur les vikings, les pirates, et l'apprentissage de l'imprimerie, qui ne doivent donc pas être des occupations de filles !, si on en croit les auteurs). Néanmoins, les récits sont toujours de bonne tenue et les informations vérifiées. Il n'y a donc pas d'erreur dans ces romans : il faut simplement accepter le principe de départ du journal intime tenu par une jeune femme ou un jeune homme. Ce qui est, pour certains personnages choisis, historiquement assez improbable.

…D'HISTOIRE

ET AUSSI…

Des hommes dans la guerre d'Algérie 11+
ISABELLE BOURNIER
Casterman, 2010 - EAN 9782203026087 - 16,75 €

Sur la tête de la chèvre 12+
ARANKA SIEGAL
Paris : Gallimard Jeunesse (Folio Junior), 2003 (1998)
EAN 9782070556328 - 7,70 €

La rose de Versailles 11+
RIYOKO IKEDA
Kana, 2011 - 3 vol. - La rose de Versailles
EAN 9782505009498 - 19 €

Que cent fleurs s'épanouissent 14+
FENG ZICAI
Gallimard Jeunesse (Scripto), 2003 (1990)
EAN 9782070556304 - 7,50 €

Bastien, gamin de Paris 11+
BERTRAND SOLET
Nouveau monde (Toute une histoire), 2009 (1984)
EAN 9782847364132 - 11 €

Le « Ville de Marseille » 15+
JEAN-PAUL NOZIÈRE
Seuil (Points), 2002 (1996) - EAN 9782020550833
4,95 €

Le tigre dans la vitrine 11+
ALKI ZEI
Syros Jeunesse (Tempo +), 2009 (1994)
EAN 9782748507812 - 6,95 €

À la poursuite d'Olympe 11+
ANNIE JAY
Le Livre de Poche Jeunesse (Historique), 2011 (2007)
EAN 9782013229364 - 5,50 €

Les larmes noires 13+
JULIUS LESTER
Le Livre de Poche Jeunesse, 2008 (2007)
EAN 9782013227254 - 4,90 €

Arthur, l'autre légende 14+
PHILIP REEVE
Gallimard Jeunesse (Scripto), 2008
EAN 9782070614400 - 12 €

REGARD CRITIQUE

Les romans historiques semblent souvent intéressants dans une perspective éducative : les enfants vont lire des récits de fiction tout en apprenant des faits réels. Il faut tout de suite rappeler que c'est rarement le cas. La plupart des romans historiques sont avant tout des inventions remplies d'anachronismes et qui rendent davantage compte, le plus souvent, des fantasmes de l'auteur que de la réalité historique. Par exemple, si le Moyen Âge des romans pour la jeunesse correspondait à ce qu'ont vécu nos ancêtres, on pourrait croire qu'ils passaient leur temps dans les banquets ou les tournois et devenaient tous chevaliers ! Il existe néanmoins des auteurs plus spécialistes que d'autres qui tentent de rendre des ambiances plus proches du réel. Mais en dehors des témoignages, il faut prendre les autres textes pour ce qu'ils sont : des romans. Et les juger avant tout pour leur qualité littéraire et la force des émotions ou des idées qu'ils font passer, sans chercher à être trop pointilleux sur les faits. Ou alors, il faut préférer un documentaire.

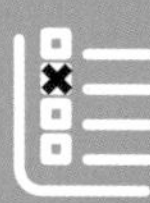

À LIRE, À S'ABONNER

Je lis des histoires vraies

Pour les plus jeunes, une bonne revue qui raconte sous forme de fictions des histoires réelles. Elle contient aussi un dossier documentaire et des fiches.

... DU MONDE D'AUJOURD'HUI

LE MONDE D'AUJOURD'HUI EST COMPLEXE. LES INFORMATIONS DONNENT PARFOIS L'IMPRESSION DE N'ÊTRE QU'UN FLUX CONTINU ET IL EST SOUVENT DIFFICILE DE SE POSER POUR RÉFLÉCHIR À CE QUI NOUS ENTOURE : QUESTIONS D'IMMIGRATION, CONFLITS INTERNATIONAUX, MÉTISSAGE DES CULTURES, VIOLENCE QUOTIDIENNE, PAUVRETÉ... Les thèmes se succèdent, sans hiérarchie, au gré des événements qui surgissent. Dans ce cas, les livres sont (encore !) les bienvenus pour arrêter la course du temps et appréhender le réel d'une manière plus calme. Pouvoir rester un long moment sur un documentaire, prendre le temps d'étudier des cartes, s'imprégner d'une démarche réfléchie par l'auteur pour éclairer des sujets que les enfants ne voient que de manière fragmentée : autant de moments essentiels dans la construction d'un savoir. Les romans ne sont pourtant pas en reste : il est parfois important de concevoir d'autres points de vue par le biais de la fiction, de s'en imprégner de manière sensible avant que la raison ne vienne mettre la distance nécessaire avec l'émotion. Ces quelques propositions vont dans ce sens.

Anouche ou la fin de l'errance : de l'Arménie à la vallée du Rhône 9+

A VALENTINE GOBY I PHILIPPE DE KEMMETER

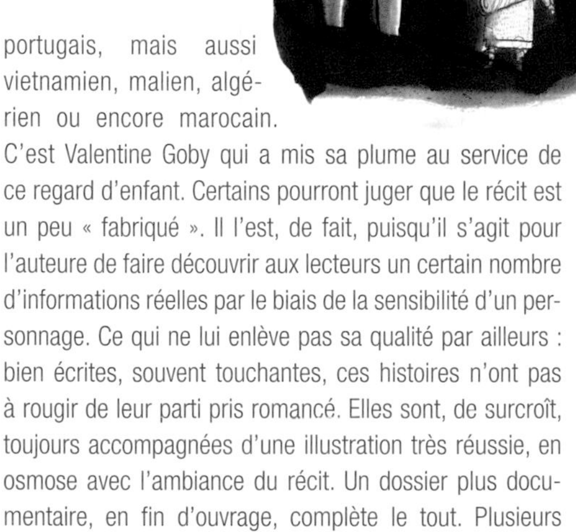

Il est parfois difficile d'aborder la question de l'immigration avec les plus jeunes. Les idées reçues, les passions prennent vite le dessus en grande partie à cause de la pression de l'actualité : les enfants et les adultes sont en permanence inondés d'images et d'informations par les médias sans pour cela qu'il y ait systématiquement une remise en perspective. Il est donc bon de revenir à l'Histoire et aux faits. Cette collection, judicieusement nommée « Français d'ailleurs » par les éditions Autrement, comporte déjà huit titres à ce jour. Le principe ? Par le biais de la voix d'un enfant qui expose le parcours de sa famille pour arriver en France et le quotidien de son intégration, le lecteur découvre les difficultés de l'immigré italien, polonais, portugais, mais aussi vietnamien, malien, algérien ou encore marocain.

C'est Valentine Goby qui a mis sa plume au service de ce regard d'enfant. Certains pourront juger que le récit est un peu « fabriqué ». Il l'est, de fait, puisqu'il s'agit pour l'auteure de faire découvrir aux lecteurs un certain nombre d'informations réelles par le biais de la sensibilité d'un personnage. Ce qui ne lui enlève pas sa qualité par ailleurs : bien écrites, souvent touchantes, ces histoires n'ont pas à rougir de leur parti pris romancé. Elles sont, de surcroît, toujours accompagnées d'une illustration très réussie, en osmose avec l'ambiance du récit. Un dossier plus documentaire, en fin d'ouvrage, complète le tout. Plusieurs possibilités de lecture, donc, pour une collection à avoir dans sa bibliothèque pour l'information autant que pour le plaisir.

Autrement jeunesse (Français d'ailleurs), 2010
EAN 9782746714601 - 14,50 €

Shabanu 11+

SUZANNE FISHER STAPLES

Chez ce peuple nomade du Pakistan, la tradition pèse, en particulier sur les filles. Shabanu risque d'être mariée à un homme qu'elle n'a pas choisi, comme toutes les femmes de son clan. Va-t-elle résister ? Même si l'auteure défend plutôt un regard occidental dans les choix de Shabanu, elle ne juge pas les traditions ancestales et rend à merveille l'environnement de la jeune fille. À lire les suites : Haveli *et* La Fille de Shabanu.

Gallimard Jeunesse (Folio Junior), 2009 (1993) - 3 vol.
EAN 9782070626267 - 6,70 €

Le Dessous des cartes : atlas junior 12+

JEAN-CHRISTOPHE VICTOR

Ceux qui ont eu la chance de voir sur Arte l'émission de Jean Christophe Victor savent combien la géographie est importante pour comprendre le Monde. Ils ont également appris que les choses les plus complexes deviennent limpides quand un bon pédagogue utilise de bons outils. Eh bien ! Il en existe désormais un de plus avec cet atlas qui avait également paru en version pour les adultes.

Tallandier-Arte éditions, 2010 - EAN 9782847346343 - 19,90 €

Le Secret de Chanda 12+

ALLAN STRATTON

Le livre a bénéficié d'un regain d'intérêt avec la sortie de son adaptation au cinéma par Oliver Schmitz en 2010. Mais ce récit d'une jeune fille très combative dans un pays d'Afrique indéterminé remportait déjà un beau succès. Chanda, qui finira par découvrir que sa mère va mourir du Sida, ne baisse jamais les bras et son énergie est communicative, même au lecteur. À lire aussi : Les guerres de Chanda.

Bayard Jeunesse (Millezime), 2006 - 2 vol. - 1, Le secret de Chanda
EAN 9782747014601 - 11,90 €

La Guerre au fond des yeux 11+

ROBERT WESTALL

Paru précédemment sous le titre La double vie de Figgis, *ce roman fascinant décrit comment un jeune garçon anglais, ultra sensible, presque médium, s'est trouvé littéralement « possédé » par un jeune soldat irakien pendant la guerre du Golfe au point de mettre sa vie en danger. Figgis vit la guerre dans sa chambre. Un roman « fantastique » par un très grand écrivain anglais.*

Le Livre de Poche Jeunesse (Histoires de vie), 2003 (1995)
EAN 9782013221689 - 4,90 €

La Mémoire trouée 12+

ELISABETH COMBRES

Il est parfois périlleux de proposer une fiction sur des événements récents, qui peuvent encore être sujets à polémiques, d'autant plus quand il s'agit d'un génocide. L'auteure, journaliste et écrivaine, a choisi de parler de l'après : comment des enfants se reconstruisent à la suite des massacres au Rwanda. C'est une vraie réussite. Voir aussi : le témoignage d'une rescapée dans J'irai avec toi par mille collines, *au Livre de poche.*

Gallimard Jeunesse (Scripto), 2007 - EAN 9782070578900 - 7,50 €

Diversité des natures, diversité des cultures 12+

PHILIPPE DESCOLA

Le célèbre anthropologue français Philippe Descola s'est mis à la portée des enfants pour aborder les questions épineuses de nature et de culture lors de sa conférence au Nouveau théâtre de Montreuil. Cette « petite conférence » comme beaucoup d'autres font désormais l'objet d'un livre, trace de la parole du savant et de ses échanges avec les jeunes.

Bayard (Les petites conférences), 2010 - EAN 9782227482074 - 12 €

Enfants d'ici, parents d'ailleurs : histoire et mémoire de l'exode rural et de l'immigration 10+

CAROLE SATURNO

Parfait prolongement de la collection « Français d'ailleurs » publiée par Autrement, cet ouvrage aborde le même sujet des différents courants d'immigration vers la France, mais en un volume et avec une volonté plus exhaustive et davantage marquée par une apparence « documentaire ». Chaque chapitre commence néanmoins par la « voix » d'un enfant qui remonte le fil des ses origines et permet au lecteur de pénétrer dans les documents qui suivent. Essentiel.

Gallimard Jeunesse (Terre urbaine), 2008 (2005) - EAN 9782070622900 - 22,90 €

L'Homme invisible 8+

GILLES RAPAPORT

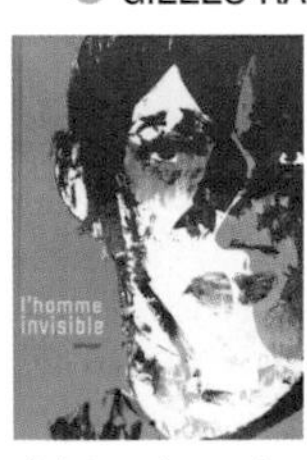

L'invisible, c'est souvent celui que l'on croise tous les jours et que l'on ne voit pas. Gilles Rapaport crée de nouveau un album engagé, cette fois en prenant la voix d'un clandestin et en utilisant, comme à son habitude, une illustration percutante. Des phrases courtes résonnent au milieu de portraits et de scènes qui semblent éclater de couleurs et de rage sous nos yeux.

Circonflexe (Albums), 2010 - EAN 9782878335408 - 13,50 €

J'aimerais un livre qui parle…

… DU MONDE D'AUJOURD'HUI

✲ LE PHOTOGRAPHE : ÉDITION INTÉGRALE 13+

Ⓐ EMMANUEL GUIBERT, DIDIER LEFÈVRE

Témoignage d'une équipée aux côtés de Médecins sans frontières dans l'Afghanistan en guerre de 1986. Un livre qui reste un choc par le sujet et l'alliance du dessin et des photos.

Dupuis (Aire libre), 2010 - EAN 9782800147956 - 38 €

✲ LES PREMIERS JOURS 9+

Ⓐ EGLAL ERRERA

Le personnage de Rebecca apparaît dans trois autres livres de l'auteure. Dans celui-ci, c'est la découverte de la France pour cette petite fille qui vient d'émigrer d'Égypte.

Actes Sud Junior (Les premiers romans cadet), 2002 3 vol. - EAN 9782760942059 - 6,50 €

✲ SARCELLES-DAKAR 14+

Ⓐ INSA SANÉ

Un roman qui mélange la dureté du monde contemporain à la beauté des contes : le parcours, retour aux sources, d'un jeune homme qui va se révéler à lui-même.

Sarbacane (Exprim'), 2009 (2006) EAN 9782848653600 - 14,50 €

✲ LILI 9+

Ⓐ BRIGITTE SMADJA

Les romans de Brigitte Smadja qui mettent en scène la petite Lili sont largement autobiographiques. Une belle manière de retrouver les questions de l'intégration… d'il y a 50 ans.

École des loisirs (Neuf), 1995 - 4 vol. - 1, La tarte aux escargots - EAN 9782211036337 - 7 €

✲ QUAND ON EST MORT, C'EST POUR TOUTE LA VIE 12+

Ⓐ AZOUZ BEGAG

Azouz Begag s'est fait connaître (bien avant d'être ministre !) avec un roman autobiographique Le Gône du Chaaba. *Il parle ici de la douleur de la perte et du racisme quotidien.*

Gallimard Jeunesse (Scripto), 2002 (1998) EAN 9782070536832 - 8 €

✲ LE VOYAGE DE MÉMÉ 8+

Ⓐ GIL BEN AYCH

Quelle bonne idée de rééditer ce roman paru il y a presque trente ans ! Cette mémé algérienne qui tient à ses habitudes parlera à tous, même si on n'a pas une telle grand-mère.

École des loisirs (Neuf), 2011 (1982) EAN 9782211204453 - 8 €

✲ POURQUOI ? 12+

Ⓐ MOKA

Un sujet rarement abordé dans la littérature et jamais (?) dans celle à destination de la jeunesse : l'excision. Moka frappe fort et efficacement.

École des loisirs (Médium), 2005 EAN 9782211079693 - 10 €

✲ KIFFE KIFFE DEMAIN 13+

Ⓐ FAÏZA GUÈNE

On a un peu vite réduit cette auteure au « parler banlieue » et aux problèmes de jeunes de cités. Elle a une véritable plume et tient magistralement le parcours de son héroïne.

Le Livre de Poche Jeunesse, 2007 (2004) EAN 9782013224130 - 5 €

✲ DU RÊVE POUR LES OUFS 13+

Ⓐ FAÏZA GUÈNE

Ce deuxième roman de l'auteure met en scène une jeune femme qui se débat dans la société pour se sortir de la spirale de l'échec. Très construit, vif et finalement, optimiste.

Le Livre de Poche, 2007 (2006) EAN 9782253121862 - 5 €

✲ SI TU VEUX ÊTRE MON AMIE : LETTRES DE GALIT FINK ET MERVET AKRAM SHA'BAN 9+

Ⓐ GALIT FINK, MERVET AKRAM SHA'BAN

Une manière d'aborder le conflit israélo-palestinien à partir d'un échange épistolaire entre deux filles appartenant à chaque parti. On comprend mieux les blocages respectifs.

Gallimard Jeunesse (Folio Junior), 2008 (2002) EAN 9782070617173 - 6,10 €

✲ 11H47, BUS 9 POUR JÉRUSALEM 11+

Ⓐ PNINA MOED KASS

Des personnages venus d'horizons différents vont se retrouver ensemble dans un bus qui explosera à 11h47 à Jérusalem. Le parcours des victimes et du porteur de la bombe.

Milan Jeunesse (Macadam), 2007 EAN 9782745918734 - 10,50 €

✲ QUAND J'ÉTAIS SOLDATE 13+

Ⓐ VALÉRIE ZENATTI

L'expérience d'une jeune femme qui fait son service militaire en Israël. Un regard d'adolescente, dans un contexte très particulier. Merveilleusement écrit.

École des loisirs (Médium), 2002 EAN 9782211061087 - 11 €

✲ JUSTE IMPOSSIBLE : PETITE CONFÉRENCE SUR LE JUSTE ET L'INJUSTE 12+

Ⓐ JEAN-LUC NANCY

Cette fois-ci, c'est le philosophe Jean-Luc Nancy qui expose ses réflexions sur la notion de justice.

Bayard (Les petites conférences), 2007 EAN 9782227476806 - 9,90 €

✲ LE PRINCE DE CENTRAL PARK 12+

Ⓐ EVAN H RHODES

L'histoire de Jay-Jay, un enfant battu qui décide de s'installer dans Central Park et d'y survivre est devenue un classique.

J'ai lu, 2000 (1974) - EAN 9782290309469 - 3,70 €

✲ ROUGE MÉTRO 13+

Ⓐ CLAUDINE GALÉA

À travers le regard d'une jeune fille, Claudine Galéa raconte le moment où un SDF se met à tirer dans la foule du métro. Un écho au premier roman de la collection, Je mourrai pas gibier *de Guillaume Guéraud.*

Rouergue (DoaDo Noir), 2007 - EAN 9782841568192 7,50 €

✲ AURÉLIEN MALTE 12+

Ⓐ JEAN-FRANÇOIS CHABAS

Les réflexions d'Aurélien Malte, emprisonné depuis treize ans et qui va changer sa manière de voir au contact d'une visiteuse de prison.

Le Livre de Poche Jeunesse, 2007 EAN 9782013224987 - 4,90 €

✲ LES ROIS DU MONDE 8+

Ⓐ HÉLÈNE VIGNAL

Ce n'est pas forcément simple de partir en vacances quand on en a l'occasion pour la première fois parce que l'on est pauvre. Hélène Vignal évite le récit misérabiliste pour le remplacer par une épopée pleine d'humour et d'entrain.

Rouergue (ZigZag), 2006 - EAN 9782841567140 - 6 €

✲ LES PHILO-FABLES 12+

Ⓐ MICHEL PIQUEMAL

Quelques dizaines de contes, fables, pensées qui permettent de s'interroger sur des questions essentielles (et existentielles) sans passer par un cours de philosophie rébarbatif.

Albin Michel Jeunesse, 2008 - EAN 9782226186362 6,90 €

à voir en bibliothèque

La collection : *La connaissance est une aventure* aux éditions Gallimard Jeunesse

Voici une merveilleuse collection qui n'a malheureusement produit que cinq titres et qui est arrêtée depuis 2008 (mais les titres sont encore disponibles). L'idée ? Choisir des découvertes scientifiques et expliquer comment les humains ont construit leur connaissance sur le sujet au fil du temps. Montrer la science en mouvement est une démarche que l'on voit peu, même dans la production destinée aux adultes. Il faut se ruer sur ces titres qui en apprendront autant aux enfants qu'aux adultes. Ils sont tous écrits par la même auteure, Juliette Nouel-Rénier, qui a fait superviser son travail par un spécialiste de chaque question abordée.

Comment l'homme a compris…

- que le singe est son cousin,
- à quoi ressemble l'Univers,
- d'où viennent les bébés,
- que le climat se réchauffe,
- que les dinosaures ont régné sur Terre.

Gallimard Jeunesse - La Connaissance est une aventure

Le cerf-volant brisé 13+
PAULA FOX
École des loisirs (Médium), 1997
EAN 9782211041874 - 9 €

Oh, boy ! 12+
MARIE-AUDE MURAIL
École des loisirs (Médium), 2000
EAN 9782211056427 - 10 €

Silence, on irradie 12+
CHRISTOPHE LÉON
Thierry Magnier (Roman), 2009
EAN 9782844207722 - 8 €

Le garçon de toutes les couleurs 10+
MARTIN PAGE
École des loisirs (Neuf), 2007
EAN 9782211085373 - 8 €

Quand les trains passent 15+
MALIN LINDROTH
Actes Sud Junior (D'une seule voix), 2007
EAN 9782742766932 - 7,80 €

Dieu en personne 15+
MARC-ANTOINE MATHIEU
Delcourt, 2009 - EAN 9782756014876 - 17,50 €

Tout contre Léo 10+
CHRISTOPHE HONORÉ
École des loisirs (Neuf), 1996 - 3 vol.
EAN 9782211037785 - 8 €

Les brigades vertes 12+
ALAIN GROUSSET, PACO PORTER
Flammarion (Tribal), 2011 (1999)
EAN 9782081247598 - 10 €

Comment l'homme a compris que le climat se réchauffe 11+
JULIETTE NOUEL-RENIER
Gallimard Jeunesse (La connaissance est une aventure), 2008 - EAN 9782070617777 - 7,50 €

Faire le mort 14+
STEFAN CASTA
Thierry Magnier (Roman), 2006 - (« Rom »)
EAN 9782844205056 - 9,80 €

Où que tu sois 13+
JACKIE FRENCH
Flammarion (Tribal), 2005 - EAN 9782081626775 - 8 €

Regard critique

Si les livres restent un bon moyen de découvrir le monde, il ne faut pas se leurrer : les jeunes sont souvent davantage attirés par les ordinateurs et autres consoles de jeux. **Il faut donc savoir s'adapter aux réalités de notre temps et se servir des différents médias.**
Il existe sur Internet une démarche intéressante appelée jeux sérieux (serious games, en anglais, ça sonnera peut-être mieux aux oreilles des enfants et des adolescents !). On trouve facilement des informations sur le sujet, en particulier sur le site **http://www.jeux-serieux.fr/**
De quoi s'agit-il ? Comme leurs noms l'indiquent, ces jeux sont conçus pour apprendre, ce qui n'enlève rien à leur intérêt. Ils sont le plus souvent gratuits, jouables en ligne ou téléchargeables. Et il en existe dans tous les domaines : gérer toute l'énergie d'une ville, concevoir un régime alimentaire adapté, se mettre dans la peau d'un journaliste devant faire un article objectif sur un conflit armé, etc. Les idées sont inépuisables et les jeux souvent passionnants… et instructifs.

à faire

Il ne faut pas hésiter à abonner les jeunes à des revues ou des journaux qui parlent de l'actualité.
Géo ados : le petit frère de Géo
Science et Vie Junior et Science et Vie Découvertes : avant de s'abonner à Science et Vie ?
Mon quotidien : un journal quotidien pour les 10-14 ans (il existe aussi Petit quotidien pour les plus jeunes et L'Actu et l'Eco pour les plus grands)

QUELQUES QUESTIONS/RÉPONSES

SUR LES ENFANTS, LES ADOLESCENTS ET LA LECTURE

mon enfant ne lit plus depuis qu'il est entré au collège alors qu'il aimait lire auparavant. Que se passe-t-il ?

L'entrée au collège est un véritable bouleversement dans le quotidien des jeunes. Il n'est pas rare d'en voir un certain nombre abandonner ou laisser de côté la lecture, surtout à partir de la 4ème. Cela peut s'expliquer par le fait que le jeune veut se démarquer de l'enfance et découvrir d'autres centres d'intérêts. Il ne faut pas non plus oublier que le travail scolaire peut être également plus prenant que dans les classes du primaire : les lectures obligatoires peuvent parfois prendre la place des lectures personnelles. Autre point : l'image de la lecture et des lecteurs. Cette pratique n'est pas forcément valorisée par le groupe des « pairs » et si votre enfant n'est pas entouré de lecteurs ou n'est pas lui-même assez passionné pour résister à la pression, il y a de fortes chances qu'il se conforme aux pratiques du groupe plutôt qu'à vos recommandations. Mais si le rapport au livre a été apprécié dans l'enfance il n'est jamais vraiment perdu.

est-ce que le goût de lire facilite la réussite scolaire ?

La capacité à lire vite, à comprendre le sens d'un texte et à l'analyser est évidemment importante pour aider le jeune dans son parcours. La curiosité pour les textes et le goût de la lecture peuvent faciliter le développement de cette capacité. Néanmoins, il est assez rare que les goûts des jeunes lecteurs soient liés aux demandes scolaires : ils sont peu à s'enthousiasmer pour Flaubert ou Racine, même si de belles rencontres sont possibles. Notre société mettant, de surcroît, en avant les notions de plaisir et de développement personnel, la lecture obligatoire et la lecture dite de « plaisir » semblent se séparer de plus en plus dans l'imaginaire collectif. La lecture littéraire étant une pratique de moins en moins plébiscitée, selon les enquêtes sur les pratiques culturelles des Français, il semblerait qu'aimer lire ne soit pas forcément corrélé à la réussite des études. Les étudiants lisent peu et lisent simplement ce qui leur semble utile pour réussir. Les lectures personnelles ne rentrent pas dans ce cadre. Il faut pourtant noter que ceux qui ont des lectures diversifiées réussissent mieux que les lecteurs d'un seul « genre ». Rien ne sert donc de ne lire que des classiques ou que des bandes dessinées : mieux vaut lire les deux !

mon enfant ne lit que des mangas. Que dois-je faire pour lui donner envie de lire autre chose ?

Il n'y a pas de trucs et astuces pour faire changer les pratiques de lecture de quelqu'un. C'est l'environnement, le parcours, l'envie qui font évoluer les demandes de lecture, la possibilité de trouver ce dont on a besoin.

La lecture des mangas comporte de nombreux points positifs : l'échange avec les amis, l'acquisition de compétences de lecture spécifiques (c'est finalement un type de lecture assez complexe), la découverte (pour certains jeunes) de la culture japonaise, etc. C'est également une lecture rapide qui autorise la fragmentation : cela correspond aux modes de lecture actuels et permet une satisfaction immédiate pour le lecteur. Et puis il y a un nombre incalculable de types de mangas. On y trouve même *Le Capital* de Karl Marx ! Pas de panique, donc. La seule limite à trouver avec le jeune est peut-être dans le temps passé sur ses lectures : les passionnés, que ce soit de mangas, de jeux vidéo ou de sport, ont tendance à utiliser leur temps uniquement pour satisfaire leur passion !

Y a-t-il des bons et des mauvais livres ? Et s'il y a des mauvais livres, faut-il laisser les jeunes les lire ?

Si vous partez de vos propres valeurs morales, vous pouvez considérer que tel ou tel livre est bon ou mauvais selon qu'il correspond ou pas à ces valeurs. Si votre point de départ est la qualité littéraire, vous pouvez considérer qu'un livre est plus ou moins réussi, plus ou moins bien écrit et votre jugement variera selon votre formation ou votre environnement et la manière dont vous légitimez ces deux apports. L'important est donc de créer des repères pour les jeunes tout en favorisant la possibilité de découvertes, y compris sans vous. Il ne faut pas oublier que c'est en multipliant les expériences de lecture que l'on se fait un avis et que l'on peut éventuellement hiérarchiser la qualité des ouvrages. Il n'y a de toute façon pas de livres pour enfants publiés en dehors du cadre de la loi de 1949 relative à la protection de la jeunesse. Quant aux autres… Il faut relativiser. N'oublions pas que Flaubert s'est retrouvé au tribunal à cause du contenu de *Madame Bovary* alors qu'il est au programme scolaire aujourd'hui ! Le meilleur moyen de donner l'envie de lire un livre, y compris le moins réussi, est sûrement de l'interdire.

Pourquoi est-il si difficile de trouver des livres adaptés à des enfants qui commencent à lire ?

Il est effectivement difficile de trouver des textes qui intéressent les enfants et qui correspondent aussi à leur compétence de jeune lecteur. Il faut donc multiplier les occasions de lecture et d'échange, partir des goûts des jeunes et alterner des textes très faciles à lire, même si le contenu n'est pas extraordinaire, avec des textes plus exigeants. Il est vrai que la production éditoriale n'offre pas toujours des petits textes courts et abordables dont le contenu soit également de qualité. L'important n'est donc pas d'éviter à tout prix les textes « moyens » mais de ne pas rester uniquement sur ce type de texte. Tous les enfants ont envie d'apprendre à lire et à découvrir les possibles ainsi offerts : ils n'arrêtent que s'ils ont l'impression de ne pas trouver ce qu'ils attendaient ou si les adultes ne les soutiennent pas dans leur parcours.

REPÈ-RES

Repères

Les librairies

Où acheter des livres ?

Les lieux de vente des livres sont très diversifiés et, quand on habite en ville, on en rencontre fréquemment. Du kiosque de la gare qui affiche les 10 meilleures ventes de romans à la librairie spécialisée jeunesse, l'éventail est large. Voici quelques éléments pour apprécier les différences des principaux lieux de vente.

Les librairies de quartier

Les librairies de quartier ou de centre-ville font un travail important de conseil et de sélection des livres. C'est à dire qu'elles ne proposent que des livres qu'elles ont choisis et qu'elles sont à même de présenter. Certaines ont souvent des fonds spécialisés pour la jeunesse assez conséquents, quand elles ne sont pas (mais c'est plus rare) tout à fait spécialisées dans la littérature pour la jeunesse. Il ne faut pas hésiter à se rendre en librairie, même si cela peut paraître un peu intimidant. D'autant que la loi sur le prix unique du livre permet de payer ses livres le même prix chez un petit libraire que dans une grande surface (la seule remise autorisée étant de 5%). Vous y trouverez, de surcroît, des titres que vous ne verrez pas sur Internet ou dans les grands magasins. Les libraires connaissent très bien la production et savent parfaitement aider à trouver un livre. Et ils ne proposent pas uniquement ce qui se vend bien !

Les grandes surfaces

En plus des habituels magasins vendant des produits culturels (livres, disques, etc.), beaucoup de grandes surfaces ont développé des librairies conséquentes. Il est donc aisé aujourd'hui, d'acheter des livres et d'être en contact avec une offre de documents, même lorsque l'on va simplement faire les courses pour la semaine. Chaque grande surface possède son rayon librairie, certaines ont même fait des efforts dans la diversité du choix et il y a de plus en plus de « véritables » libraires qui s'occupent de ces fonds, même s'ils ne sont, malheureusement, quasiment jamais présents dans les rayonnages. Il s'agit seulement de libres-services. Cette offre peut être un avantage non négligeable si vous avez peu de temps à consacrer à l'achat de livres ou si votre quartier n'est pas bien doté en librairies de proximité. Néanmoins, il ne faut pas oublier que les grandes surfaces mettent surtout en avant les best-sellers, les « classiques » pour l'école et les produits commerciaux qui se vendent bien.

Internet et les librairies en ligne

Ces deux possibilités se sont développées avec succès. Il existe aussi aujourd'hui une offre de livres dématérialisés pour tablettes numériques ou autres supports adéquats. Malheureusement l'offre ne couvre pas encore toute la production. L'achat de livres sur Internet (papier ou numérique) remplit souvent un besoin précis : on achète uniquement le produit que l'on cherchait spécifiquement. Il est encore difficile d'avoir un achat « coup de cœur » par ce biais ! Même si certains sites permettent également le conseil (avis de lecteurs, rubrique « ceux qui ont aimé/acheté ce livre ont aussi aimé/acheté celui-ci »), rien ne remplace le dialogue en direct avec un professionnel et la possibilité de flâner au milieu de titres sélectionnés avec soin. Mais il est vrai que pour faire une commande de chez soi, Internet est bien pratique !

Le rapport à la librairie

Le fait d'aller en librairie, comme le fait d'utiliser les services d'une bibliothèque, n'est pas une pratique évidente pour tous. Certains jeunes préfèrent souvent l'anonymat des grandes surfaces à l'usage des librairies ou des bibliothèques. Il est donc intéressant de familiariser les enfants dès leur plus jeune âge à ces différents lieux (y compris au « lieu » Internet) et à leurs codes particuliers afin que le jeune dispose d'un éventail de choix le plus large possible. C'est la diversité et la capacité à se repérer et à se sentir à l'aise au milieu de cette profusion des offres qui permet véritablement de choisir : n'hésitez pas à tester toutes les modalités d'accès aux livres avec les enfants, en découvrant avec eux les avantages et inconvénients de chaque démarche. Elles peuvent toutes avoir leur utilité propre.

Les bibliothèques

Pourquoi aller en bibliothèque ?

Parce que c'est l'un des rares lieux publics dans lequel on peut entrer librement, sans que l'on vous demande quoi que ce soit. Si l'inscription y est nécessaire pour emprunter des documents, vous pouvez en revanche consulter sur place une offre culturelle importante mise gratuitement à disposition. Vous pouvez donc utiliser le lieu et la plupart de ses services sans obligations particulières.
L'un des atouts majeurs des bibliothèques tient à la richesse de leurs fonds. Vous y trouverez des livres introuvables ailleurs et parfois de très bons titres qui ont disparu du commerce.
La bibliothèque offre également, par le prêt de livres, la liberté de tester la diversité sans acheter et certains bibliothécaires peuvent être de bon conseil pour trouver un titre ancien à redécouvrir. Il existe aussi dans les bibliothèques des animations autour de nouveautés ou de thèmes qui permettent d'explorer des univers originaux.

Pour les plus jeunes

À 8 ou 9 ans, les enfants sont autonomes dans la bibliothèque et ceux qui sont déjà des habitués comme ceux qui la découvrent aiment bien choisir seuls, faire leurs propres découvertes. Il faut donc laisser les jeunes faire des choix personnels tout en les guidant vers d'autres possibles. Ils peuvent néanmoins y rencontrer quelques difficultés. D'abord, la bibliothèque n'adopte pas forcément un classement des livres selon leurs centres d'intérêts ou leur logique. Ils peuvent avoir du mal à s'orienter. Les romans, par exemple, sont le plus souvent rangés par ordre alphabétique de noms d'auteurs. Peu d'enfants (et d'adultes !) rangent leurs livres selon cette logique. Si votre bibliothèque classe certains titres par séries, héros ou genres, c'est qu'elle tente de prendre en compte les envies et les besoins du jeune public. Soyez-y attentifs. Ensuite, rares sont les bibliothèques possédant des manuels scolaires ou des titres utilisés par les enseignants, ce qui est souvent déstabilisant pour les jeunes : ils ne retrouvent pas dans la bibliothèque les livres avec lesquels ils sont familiarisés à l'école.

Pour les plus grands

Les pré-ados et les adolescents utilisent surtout la bibliothèque (quand ils l'utilisent) pour se retrouver, aller sur Internet ou faire leurs devoirs en groupe.
Bien entendu, il y a des lecteurs fervents, y compris de romans, mais ils ne sont pas les plus nombreux. Certaines bibliothèques ont mis en place des « coins ados » qui correspondent surtout aux goûts de quelques bons lecteurs… De toute façon, les adolescents ont la fâcheuse habitude de faire exactement le contraire de ce qu'on avait prévu pour eux. Inutile donc de les forcer à utiliser la bibliothèque ou de leur vanter ses mérites : ils n'iront que si les copains et les copines y vont ou s'ils y trouvent un accueil correspondant à leurs attentes.
Néanmoins, n'hésitez pas à visiter vous-même la bibliothèque de votre ville ou de votre quartier. Vous verrez assez vite si l'offre correspond aux besoins et aux attentes de votre enfant. Les bibliothèques sont aujourd'hui assez souvent des « Médiathèques ». Elles offrent donc une diversité de supports (CD, DVD, CD-Rom) qui pourront attirer les adolescents. Si vous souhaitez que votre enfant utilise les ressources de la bibliothèque, il vous faudra peut être « ruser » un peu. N'oublions pas que l'adolescence est souvent le moment où l'on veut absolument se démarquer de ses parents. Pas facile de conseiller dans ces cas-là ! Il peut alors être intéressant de s'appuyer sur les libraires ou les bibliothécaires pour jouer le rôle de passeur : le jeune peut développer une relation privilégiée dans ce domaine avec un adulte extérieur à sa famille (voir, par exemple, le club lecture en librairie, page suivante).

VISITE D'UN « CLUB-LECTURE » RENCONTRES AU MERLE MOQUEUR

Bien implantée dans ce quartier du XXe arrondissement de Paris puisqu'elle gère également la librairie du Printemps Nation, Le Merle moqueur fait partie d'un réseau plus vaste de libraires de l'est parisien, Librest, et a également en charge la librairie du 104, lieu culturel du XIXe arrondissement. Gwendoline Delaporte, responsable du rayon jeunesse, n'hésite pas à accueillir des classes du quartier dans la librairie, mais propose également un « club lecture » à quelques fidèles adolescents. Ce type d'animation ne correspond qu'à un petit nombre de lecteurs et lectrices, souvent à l'aise, qui ne craignent pas de se livrer et d'échanger sur leurs lectures. Inutile d'essayer de l'imposer à d'autres, ça ne peut être que volontaire !

Rendez-vous au merle !

À l'heure dite, une fois par mois, plusieurs filles qui ne se connaissaient pas au départ se retrouvent à la librairie. Il n'y a pas de garçons ? « Il y en avait deux » précise Gwendoline « mais ils ont changé de quartier ou d'emploi du temps et ils ne peuvent plus venir. » Restent donc cinq filles qui s'installent dans une petite salle au fond de la librairie, pile de livres en main, prêtes à présenter au petit groupe ce qu'elles ont lu et à écouter les propositions de chacune pour découvrir une nouvelle lecture. Car il n'y a pas que la libraire qui propose des livres, elle facilite simplement la rencontre : « Tout le monde peut amener un livre à présenter et il y a souvent une lecture commune proposée par l'une ou l'autre afin de pouvoir en discuter ensemble la fois prochaine. Je sors des livres de mon fonds et je leur prête. Il arrive aussi que nous apportions des livres personnels et que nous nous les prêtions. » Une librairie qui prête des livres ! Original.

On s'affirme ou on débat

Grandes lectrices, si Capucine, Louise, Leni (14 ans), Kenz (13 ans) et Loubaya (12 ans) ont des goûts très prononcés mais différents, elles se retrouvent sur une détestation commune : « on n'aime pas les livres gnangnans ! » s'exclament-elles en chœur. Ce qui correspond, selon leurs critères, à des livres aux histoires d'amour factices et remplies de clichés. Elles ne se retrouvent pas dans les personnages d'adolescentes aux problèmes parfois superficiels et elles n'hésitent pas à le dire haut et fort ! Raison de plus pour plébisciter leurs auteurs favoris : Marie Desplechin, Marie-Aude Murail (« Miss Charity ! » lance Capucine immédiatement quand on lui demande quel est son livre préféré) mais aussi Xavier-Laurent Petit qui semble avoir enthousiasmé tout le monde avec *Be safe*. Leurs lectures sont diversifiées : Leni aime aussi les polars et parle très bien de *La Fille à la perle* qu'elle a lu sur les conseils de sa mère après avoir vu le film. « J'ai bien aimé les deux mais je crois que je préfère le livre, on y découvre des choses qui ne sont pas dans le film » explique-t-elle. Par contre, *Taille 42*, de Malika Ferdjoukh, proposé en lecture commune par Gwendoline ne rencontre l'enthousiasme de personne. Louise hésite même à lire cette histoire vraie sur la guerre « de peur d'y trouver des choses trop horribles ».

Le plein de lectures

Pour se donner une idée de la tonalité du livre, ces jeunes critiques se lancent dans la lecture à haute voix d'un extrait, exercice difficile mais réussi par chacune d'elle. C'est l'occasion, par exemple, d'entendre à une minute d'intervalle le début humoristique de *Pagaille à Paris* d'Anthony Horowitz lu par Loubaya et un extrait d'une adaptation *d'Aucassin et Nicolette*, proposé par Kenz qui l'a lu pour l'école et apprécié. Quand arrive l'heure de repartir, le choix du livre à emporter est assez rapide. L'une a retenu un début d'histoire qui l'a accroché, une autre a repéré une couverture attirante, une troisième s'empare du livre proposé au groupe par Gwendoline et qu'elle n'a pas encore lu. Elles évoquent l'idée de faire peut-être un blog (le cahier qui contenait les lectures et les avis a disparu !) et se donnent rendez-vous pour la prochaine fois… si leur emploi du temps déjà très chargé le permet.

Librairie Le Merle moqueur
51 rue de Bagnolet - 75020 Paris - Tél. : 01 40 09 08 80
www.lemerlemoqueur.fr

Les éditeurs cités

Présentation orientée sur les publications destinées aux enfants de 8 à 16 ans. Pour des informations sur les publications destinées aux plus jeunes, se reporter au volume : Je cherche un livre pour un enfant : le guide des livres pour enfants de la naissance à 7 ans

10-18

Cet éditeur de livres de poche ne s'adresse pas spécifiquement à la jeunesse mais les adolescents bons lecteurs pourront y trouver de nombreux titres susceptibles de les passionner à l'intérieur de collections proposées comme Domaine étranger, Domaine policier ou encore Grands détectives.

- **http://www.10-18.fr**

12 BIS

Mise en avant, en grande partie, grâce à la réédition des *Passagers du vent* de François Bourgeon autrefois parus chez Glénat puis chez Casterman, cette jeune maison d'édition (2007) creuse son sillon dans un marché pourtant saturé.

- **http://www.12bis.com**

Actes Sud Junior

Avec une politique éditoriale originale, cette maison d'édition arlésienne a réussi à se tailler une belle réputation littéraire, autant grâce à son catalogue pour les adultes qu'à celui destiné à la jeunesse. Actes Sud reste une maison d'auteurs et décline quelques belles collections pour la jeunesse (Ado, Cadet, D'une seule voix, etc.). Sa production théâtrale (Actes Sud papiers/Heyoka) est aussi à signaler pour la qualité de ses textes.

- **http://www.actes-sud-junior.fr**

Albin Michel Jeunesse

Albin Michel est l'une des plus anciennes maisons de l'édition française (1900). Elle a, dès sa création, accordé une large part à la jeunesse. Aujourd'hui, elle offre un éventail de titres pour tous les âges à travers de nombreuses collections ou séries. Si la série des *Geronimo Stilton* est un best seller, la collection Wiz a également trouvé sa place dans la production éditoriale en alliant des titres plutôt commerciaux à des propositions plus littéraires grâce au travail de Shaïne Cassim, directrice de la collection et elle-même auteure.

- **http://www.albin-michel.fr/categorie-Jeunesse-11**

Alice Jeunesse

Cette maison d'édition belge fondée en 1995 dispose, de fait, de moins de visibilité que des éditions plus importantes et possède une image « marketing » à l'allure un peu désuète. Mais elle produit quelques réussites, en particulier dans sa collection « romans ».

- **http://www.alice-editions.be**

Arche

Le travail des éditions de l'Arche n'est plus à prouver dans le domaine de la promotion de textes de théâtre contemporain. La production destinée à la jeunesse est soutenue avec autant d'exigence et l'on trouve au catalogue Jon Fosse comme Fabrice Melquiot.

- **http://www.arche-editeur.com**

Atalante Jeunesse

Surtout repéré comme un éditeur des genres de l'imaginaire (même si elle propose d'autres types d'ouvrages) L'Atalante a créé une collection pour la jeunesse dirigée par Stéphane Manfredo, *Le Maedre*. C'est l'occasion d'y découvrir ou redécouvrir des auteurs d'importance en Science-Fiction ou en Fantasy.

L'Atelier du Poisson Soluble

« Petit » éditeur, L'Atelier du Poisson Soluble a su imposer sa marque dans le paysage éditorial pour la jeunesse avec une offre originale alliant la recherche formelle à des thèmes plus classiques, mais en essayant toujours de ne pas formater ses productions. C'est un lieu où l'expérimentation ne manque pas d'humour, ni de provocation, parfois.

- **http://www.poissonsoluble.com**

attila

Toute jeune maison d'édition, Attila s'est spécialisée dans la redécouverte d'auteurs un peu oubliés ou méconnus (la sortie de l'étonnant roman, *Les Jardins statuaires* de Jacques Abeille, en est la preuve) et a permis de rendre de nouveau disponible la série des *Treehorn* autrefois publiée à L'École des loisirs (sous le nom de *Théophile*) et épuisée depuis.

- **http://www.editions-attila.net**

au diable vauvert

Avec ses onze ans d'existence, le Diable Vauvert peut se vanter de compter à son catalogue des auteurs de qualité, dont Neil Gaiman n'est pas des moindres. On notera également la parution récente de *L'histoire populaire des États-Unis* de Howard Zinn destinée aux adolescents (la version « adulte » a paru aux éditions Agone).

- **http://www.audiable.com**

autrement jeunesse

Fidèle à l'esprit qui a présidé à sa création en 1975, Autrement a développé son secteur jeunesse avec la même démarche alliant découvertes et qualité graphique. Les documentaires, en particulier des collections Français d'ailleurs ou Histoire junior, apportent un regard intéressant sur les sujets traités avec des illustrations originales.

- **http://www.autrement.com**

bayard jeunesse

Magazines, documentaires, romans, bandes dessinées... Les éditions Bayard proposent un véritable réseau de lectures pour tous les âges accompagnant leur lectorat, presque pas à pas, dès la naissance. Les jeunes lecteurs de romans pourront ainsi passer de la collection Je Bouquine, à Estampille, puis Millezime en y trouvant le plus souvent des textes de très bonne tenue.

- **http://www.bayard-jeunesse.com**

çà et là

En mettant en avant le roman graphique, les éditions Çà et là permettent au grand public d'avoir accès à des œuvres au départ plutôt confidentielles. Le succès de *Château l'Attente* et de *90 livres cultes à l'usage des personnes pressées* donnera, on l'espère, encore plus de visibilité au beau travail de cet éditeur.

- **http://www.caetla.fr**

calligram

Créé en 1992, cette maison d'édition est surtout connue pour la série *Ainsi va la vie*, plus souvent identifiée sous le nom de ses deux personnages principaux : Max et Lili.

calmann-lévy

Calmann-Lévy est l'une des rares maisons d'édition historique française qui n'a pas développé de secteur jeunesse conséquent.

- **http://www.editions-calmann-levy.com**

casterman

L'éditeur de Tintin et de Martine ne propose pas que des bandes dessinées, loin s'en faut. En dehors d'albums de qualité, cette maison d'origine belge (1776) désormais intégrée au groupe Flammarion propose des collections de romans dès l'âge de la première lecture autonome.

- **http://jeunesse.casterman.com**

circonflexe

Si Circonflexe possède un catalogue conséquent à destination des plus jeunes, cette maison d'édition ne dédaigne pas confier des projets s'adressant aux lecteurs plus âgés, comme ceux de Gilles Rapaport dont les sujets et le graphisme toucheront aussi les adultes.

- **http://www.circonflexe.fr**

clair de lune

Toute petite maison d'édition orientée sur le genre de la Fantasy. Possède plusieurs blogs dédiés à ses parutions (BD, *Donjon de Naheulbeuk*, Mangas).

- **http://editionsclairdelunebd.blogspot.com**

cornélius

Éditeur de bandes dessinées, proche de l'Association, Cornélius est l'un des acteurs majeurs d'une offre graphique originale, en dehors des formats de la bande dessinée classique.

- **http://www.cornelius.fr**

dargaud

On ne compte plus les héros de bandes dessinées au catalogue de cette maison d'édition : Lucky Luke, Iznogoud, Achille Talon, Boule et Bill... Un des acteurs majeurs de la bande dessinée traditionnelle.

- **http://www.dargaud.com**

LES ÉDITEURS CITÉS

DE LA MARTINIÈRE JEUNESSE

Les éditions de La Martinière éditent deux collections destinées à répondre aux questions des jeunes, bien identifiées par ces derniers : Oxygène et Hydrogène. Si leur contenu peut sembler parfois un peu « léger » aux adultes, elles ont le mérite d'essayer de répondre à hauteur d'adolescents à des questions que tous se posent.

- **http://www.lamartinierejeunesse.fr**

DELACHAUX

Un éditeur de qualité sur les questions de nature et d'environnement, autant sur la forme que sur le fond.

- **http://www.delachaux-niestle.com**

DELCOURT

Éditeur de bandes dessinées, du manga au comics en passant par le format traditionnel, Delcourt a développé plusieurs collections et propose des œuvres du plus classique au plus étonnant. Il a aussi réédité, en format original (53 x 41 cm !) et avec un beau travail sur le rendu, l'oeuvre de Winsor McCay : *Little Nemo.*

- **http://www.editions-delcourt.fr**

DROZOPHILE

Maison d'édition suisse spécialisée dans les livres au travail graphique original en sérigraphie.

- **http://www.drozophile.ch**

DUPUIS

Un des éditeurs phares de la bande dessinée belge classique. Editeur de Spirou.

- **http://www.dupuis.com**

L'ÉCOLE DES LOISIRS

Cet éditeur possède une image plutôt littéraire avec une forte orientation en direction du monde scolaire. La plupart des textes publiés dans les différentes collections (Mouche, Neuf, Médium) s'adressent à de bons lecteurs. Nombre des auteurs français que cet éditeur publie sont devenus également des repères incontournables de la littérature contemporaine L'École des loisirs a également mis en place dès sa création une politique de traduction d'auteurs importants. La collection de Théâtre de l'École des loisirs, dirigée par Brigitte Smadja, est également à signaler pour avoir développé l'un des premiers catalogues de très beaux textes destinés aux jeunes.

- **http://www.ecoledesloisirs.fr**

ÉD DU MASQUE

L'éditeur historique du roman policier n'a pas résisté à l'appel de la jeunesse et a mis en place une collection destinée aux adolescents mais pas uniquement orientée sur le genre du « polar ».

- **http://www.msk-la-collection.com**

FLAMMARION

Est-il nécessaire de présenter les éditions Flammarion ? Peut-être pour rappeler que les romans publiés en Castor poche restent toujours des repères lorsqu'on recherche des textes classiques et de qualité et que la collection Tribal, destinée aux adolescents, permet quelques belles surprises. La collection Ukronie, construite autour d'un genre très particulier de la Science-Fiction, recèle aussi quelques romans intéressants à découvrir.

- **http://editions.flammarion.com**

GAÏA

Éditeur de littérature scandinave, Gaïa s'est petit à petit ouvert à d'autres pays mais garde une forte empreinte liée au Nord. Après avoir fait une tentative assez courte à destination des adolescents avec la collection Taille unique, l'éditeur a finalement touché les jeunes, involontairement, par la trilogie de Jorn Riel, *Le garçon qui voulait devenir un être humain.*

- **http://www.gaia-editions.com**

GALLIMARD JEUNESSE

Le catalogue de Gallimard Jeunesse est aussi prestigieux que celui destiné aux adultes. En déclinant de nombreuses collections adaptées à tous les âges (toute la série des Folio Junior jusqu'à Pôle fiction), Gallimard permet un parcours de lecteur allant des auteurs les plus classiques aux auteurs contemporains importants. Le succès d'Harry Potter n'a pas entamé cette possibilité offerte par Gallimard de faire de nombreuses découvertes. Les collections pour « ados » contiennent des titres qui peuvent être proposés aux lecteurs adultes, en particulier les romans de David Almond. À noter également, le travail original et très riche concernant l'offre de livres documentaires.

- **http://www.gallimard-jeunesse.fr**

Glénat

L'éditeur de Titeuf.

- **http://www.glenat.com/**

Grasset Jeunesse

En dehors des contes et des albums, Grasset propose une collection de romans, Lampe de poche, pour les lecteurs dès 7 ans et jusqu'à l'adolescence. C'est aussi l'éditeur des albums foisonnants de Peter Sís.

- **http://www.grasset-jeunesse.com**

Gulf Stream

Cet éditeur basé à Nantes depuis 1982 a désormais à son actif quelques bons titres documentaires sur la nature, entre autres, et a créé en 2008 une collection de romans policiers historiques destinés aux bons lecteurs adolescents et adultes.

- **http://www.gulfstream.fr**

Hachette

Le groupe Hachette occupe une place à part dans l'édition, d'abord en raison de son histoire ancienne mais également par la profusion de sa production. Plusieurs générations ont découvert la lecture avec les Bibliothèques Rose et Verte. Pour autant, l'éditeur ne se repose pas uniquement sur ses acquis. La collection Black Moon, créée en 2007, contient la désormais incontournable série *Twilight* mais également des titres plus littéraires et originaux comme ceux de Monika Feth ou de Meg Rosoff.

- **http://www.jeunesse.hachette-livre.fr**

Hors Collection

Éditeur de livres grand public mais aussi de la bande dessinée *Calvin et Hobbes.*

- **http://www.horscollection.com**

J'ai lu

Appartenant au groupe Flammarion, cet éditeur de livres de poche propose de nombreuses collections. L'offre en Science-Fiction et en Fantasy ravira les amateurs.

- **http://www.jailu.com**

Kana

Éditeur de mangas, dont le très plébiscité *Naruto.*

- **http://www.mangakana.com**

La Boîte à bulles

Depuis 2003, date de sa création, La Boîte à bulles édite principalement de jeunes auteurs et quelques créateurs confirmés. C'est l'éditeur de *L'inénarrable Ours Barnabé* de Philippe Coudray.

- **http://www.la-boite-a-bulles.com**

La Joie de lire

Éditeur exigeant, basé en Suisse, La Joie de lire donne à lire, outre sa production d'albums, des romans très littéraires et parfois surprenants, à l'image de la série des Kurt de Erlend Loe. La présentation de ses livres, sobre, à l'aspect peu commercial, attire autant les bons lecteurs enfants que le lectorat adulte confirmé.

- **http://www.lajoiedelire.ch**

Le Livre de Poche Jeunesse

Édition de livre de poche de l'éditeur Hachette. Comporte de nombreuses sous-collections pour tous les âges et sur tous les thèmes.

- **http://www.livredepochejeunesse.com**

Le Petit Lézard

Éditeur de mangas, Le Lézard Noir dispose d'une branche jeunesse avec Le Petit Pézard qui a publié la série des *Moomins* de Tove Jansson.

- **http://www.lezardnoir.org**

Le Rocher Jeunesse

Comme beaucoup de maisons d'édition destinées au départ au public adulte, le Rocher a créé un département jeunesse. On y retrouve Bobby Pendragon et la réédition d'un des titres mettant en scène la célèbre Mary Poppins.

- **http://www.editionsdurocher.fr**

Les éditeurs cités

Le Sorbier

Appartenant au groupe La Martinière, Le Sorbier est, entre autres, l'éditeur des œuvres de Rudyard Kipling illustrées des gravures sur bois de May Angeli.

Les 400 coups

Maison d'édition québécoise qui publie pour la jeunesse, les adultes, et dispose d'une offre de bandes dessinées. Éditeur de *Fidèles éléphants* de Yukio Tsuchiya.

- **http://www.editions400coups.com**

Les grandes personnes

Après son passage au Seuil Jeunesse puis aux éditions Panama, Brigitte Morel a créé, avec Antoine Gallimard, cette nouvelle maison d'édition pour poursuivre son travail de qualité tant dans le choix des albums que de celui des romans. À noter la réédition de deux titres intéressants parus autrefois chez Panama : *La messagère de l'au-delà*, de Mary Hooper et *Le Baume du dragon* de Silvana Gandolfi.

- **http://www.editionsdesgrandespersonnes.com**

Magnard jeunesse

Si Magnard est un éditeur de livres scolaires et parascolaires, il a su développer une production de romans, en particuliers Policiers ou de Fantasy, avec des auteurs comme Éric Simard ou Stéphane Daniel.

- **http://www.magnard.fr**

Mango jeunesse

Appartenant au groupe Fleurus, Mango publie des livres autour de l'art (comme Les albums Dada) mais est également un des rares éditeurs à avoir mis à son catalogue une collection de Science-Fiction (créée par Denis Guiot). Xavier Mauméjean y dirige une collection, Royaumes perdus, dont certains titres ne manquent pas d'originalité.

- **http://www.fleuruseditions.com/mango**

Michel Lafon

Éditeur adulte ayant développé un secteur jeunesse. Éditeur de la série *Night World*.

- **http://www.michel-lafon.fr**

Milan jeunesse

Un catalogue très diversifié, des revues aux romans en passant par les albums. Les petits romans, dès 6 ans, sont souvent de qualité et l'on remarquera la production littéraire pour adolescents, avec la collection Macadam, où se nichent quelques titres passionnants, comme ceux d'Anne Cassidy, pour ne citer qu'elle. À noter également, les albums illustrés adaptés de grands textes de la littérature mondiale.

- **http://www.editionsmilan.com**

Møtus

Møtus édite pour la jeunesse des albums et des textes originaux et décalés (comme dans la collection Mouchoir de poche). On lui doit aussi une production intéressante dans le domaine de la poésie.

- **http://motus.zanzibart.com**

Naïve

Éditeur de disques, Naïve a élargi sa collection aux livres, y compris non musicaux, et possède aujourd'hui à son catalogue de nombreux romans.

- **http://www.naive.fr**

Nathan

À l'instar de Magnard, Nathan est avant tout un éditeur scolaire mais la production de romans et d'albums recèle quelques titres remarquables et des séries qui fonctionnent bien auprès du jeune lectorat.

- **http://www.nathan.fr**

Nouveau Monde

Nouveau Monde a repris la série de Jean-François Nahmias, *Titus Flaminius*, débutée chez Albin Michel. Cet éditeur spécialisé dans le domaine de l'Histoire produit quelques récits historiques pour la jeunesse au sein de sa collection Toute une histoire (rééditions et nouveautés).

- **http://www.nouveau-monde.net**

OQO

Éditeur espagnol qui propose, entre autres, des versions illustrées de contes traditionnels. Si certaines versions des textes, un peu malmenées parfois, peuvent étonner les connaisseurs, le travail graphique qui les porte est souvent intéressant. OQO était parmi les premiers à publier le talentueux illustrateur Maurizio A.-C. Quarello.

- **http://www.oqo.es**

ORBIT

Édition de Science-Fiction et de Fantasy fondée en 2009.

- **http://www.orbitbooks.fr**

OSKAR

Oskar publie des livres pratiques pour les adultes (cuisine, dessin, etc.) et plusieurs collections pour les jeunes dès 3 ans.

- **http://www.oskareditions.com**

P'TIT GLÉNAT

Version « junior » de l'éditeur de bandes dessinées, P'tit Glénat a réédité les albums de Tove Jansson (la série des Moomins) et également l'album du film *Arietty*.

- **http://www.ptitglenat.com**

PALETTE

Éditeur spécialisé dans le livre d'art pour enfants. Plusieurs collections qui rivalisent d'invention pour une approche ou une initiation à l'art. Des collections adaptées à tous les âges.

- **www.editionspalette.com**

PASTEL

Antenne de L'École des loisirs en Belgique, publie donc d'abord des créateurs du nord de l'Europe. Des albums très narratifs, souvent aux teintes douces et harmonieuses. Pour autant aucune naïveté et on est même franchement réveillés par les textes forts d'un Rascal, l'humour d'une Catharina Valckx ou d'un Michel Van Zeveren. Kitty Crowther, Mario Ramos, Jeanne Ashbé, ou Elzbiéta, sont quelques-uns des grands auteurs de ce catalogue incontournable.

- **www.ecoledesloisirs.fr/index1.htm**

PHAIDON

Le grand éditeur international de livres d'art s'intéresse à la jeunesse depuis la publication du *Musée de l'art pour les enfants* et commence à publier des livres d'artistes pour enfants ou des albums de créateurs connus en France dont Hervé Tullet et Beatrice Alemagna.

- **http://fr.phaidon.com**

PHÉBUS

On trouve chez Phébus des trésors de la littérature mondiale, de Wilkie Collins à Jack London en passant par Alexandre Dumas. Phébus a également édité les Contes des *Mille et une nuits* et l'intégrale des pensées de Nasr Eddin ainsi que le roman de Kenneth Grahame, *Le Vent dans les saules* et le classique *Giannino furioso, journal d'un fripon* de Vamba.

- **http://www.libella.fr/phebus/accueil/**

PICQUIER JEUNESSE

L'éditeur spécialisé dans le domaine asiatique propose un catalogue pour la jeunesse de premier ordre. Les univers du Japon, de la Chine ou encore de la Corée sont intelligemment explorés par des albums et des romans traduits. Mais les parutions de cette maison valent aussi pour elles-mêmes tant elles sont le plus souvent de qualité.

- **http://www.editions-picquier.fr**

PIKA

Éditeur de mangas, en particulier de Young GTO et Clamp.

- **http://www.pika.fr**

PLON

Éditeur pour adultes. Sa production pour la jeunesse est assez anecdotique malgré le succès, quelque peu passé, de la série *Peggye Sue* de Serge Brussolo.

- **http://www.plon.fr**

POCKET

Avec un panel de titres allant du classique à la série, Pocket est un éditeur important dans le domaine de la littérature de jeunesse et de jeunes adultes. De nombreuses sous-collections permettent un choix dans tous les genres et tous les formats. Pocket a créé une collection, Jeunes adultes, mixant des best-sellers internationaux aussi bien destinés à la jeunesse qu'aux grands adolescents ou aux adultes.

- **http://www.pocketjeunesse.fr**

RAGEOT

La collection Cascade chez cet éditeur a connu autrefois un engouement réel de la part des jeunes qui l'avaient parfaitement identifiée. Rageot a été surtout mis en avant ces dernières années par le succès des livres de Pierre Bottero, hélas trop tôt disparu. La collection Heure noire recèle de très bons titres, rééditions ou nouveautés.

- **http://www.rageotediteur.fr**

Les éditeurs cités

Rouergue

Associé désormais à Actes Sud et Thierry Magnier, Le Rouergue poursuit sa politique éditoriale exigeante en portant ses auteurs « maison » tel Guillaume Guéraud, Alex Cousseau ou Claudine Galéa. Les différentes collections (DoAdo, ZigZag, etc.) proposent des textes originaux pour tous les âges et sur tous les thèmes.

- **http://www.lerouergue.com**

Rue du Monde

Petit éditeur « engagé », Rue du Monde publie des textes traitant de sujets d'actualité sous forme de fiction ou de documentaire. Il ne dédaigne pas non plus les beaux livres illustrés pour le plaisir des sens comme ceux consacrés à la cuisine.

- **http://www.ruedumonde.fr**

Sarbacane

Si la production graphique de cet éditeur est à remarquer, le travail effectué autour des romans l'est tout autant et il faut saluer la création de la collection Exprim'. Ces titres apportent une nouvelle dynamique à la production destinée aux adolescents et ont révélé parfois de vrais talents d'auteurs, la quasi-totalité des titres étant des premiers romans.

- **http://www.editions-sarbacane.com**

Seghers Jeunesse

Éditeur historique de poésie.

- **http://www.laffont.fr**

Seuil Jeunesse

Rachetés par de La Martinière, les éditions du Seuil ont connu bien des tourments, Le Seuil Jeunesse reste néanmoins incontournable et garde à son catalogue des titres importants. La production récente dans les collections Chapitre ou Karactère(s) manque un peu d'originalité mais reste de bonne tenue et contient quelques belles rééditions des collections précédentes.

- **http://www.seuil.com**

Soleil

Avec le succès de *Lanfeust de Troy*, Soleil est devenu un des éditeurs importants de bandes dessinées. Souvent critiqué pour le côté commercial de certaines de ses productions, il publie également Osamu Tezuka et s'est associé avec Delcourt.

- **http://soleilprod.com**

Syros

Tout en gardant ses collections historiques par genres ou thèmes (avec une mention particulière pour le policier et les contes), Syros a créé une nouvelle collection de Science-Fiction et a développé une offre de romans en moyen format. La belle réussite de *Meto*, d'Yves Grevet, devrait encourager l'éditeur à continuer dans cette voix.

- **http://www.syros.fr**

Théâtrales Jeunesse

Un travail à découvrir que celui de cette maison d'édition qui permet aux jeunes de lire des auteurs de théâtre contemporains.

- **http://www.editionstheatrales.fr**

Thierry Magnier

Thierry Magnier produit des textes très littéraires à travers des collections de romans ou de nouvelles de qualité. La frontière entre textes pour adultes et textes pour la jeunesse y est souvent bien ténue.

- **http://www.editions-thierry-magnier.com**

Tourbillon

Au-delà des albums pour les plus jeunes, les éditions Tourbillon mettent en avant des romans illustrés, adaptations de classiques ou créations contemporaines.

- **http://www.editions-tourbillon.fr**

Vertige Graphic

Avec des auteurs comme Joe Sacco, Will Eisner, Lorenzo Mattotti ou encore José Munoz, Vertige Graphic se situe dans le courant des éditeurs de bandes dessinées audacieux destinée aux connaisseurs.

- **http://courtcircuit-diffusion.com/vertige-graphic**

Les sites internet

Quelques sites ou portail à consulter pour mieux connaître la littérature pour la jeunesse ou pour suivre l'actualité éditoriale

Centre national de la littérature pour la jeunesse La joie par les livres

La plus complète et la plus sérieuse source d'informations sur le secteur, en dépit d'une navigation un peu rigide. Un catalogue de 250 000 références, des revues en ligne, dont *La Revue des livres pour enfants*, et de nombreuses informations actualisées.

- **http://lajoieparleslivres.bnf.fr**

Ricochet

Le portail de référence de la littérature pour la jeunesse. Une mine de ressources et une partie magazine qui offre d'intéressants dossiers et interviews. Attention, dans la somme d'informations peuvent se glisser des erreurs ou des imprécisions.

- **www.ricochet-jeunes.org**

Citrouille, le blog des librairies sorcières

Mis à jour quasi quotidiennement, ce blog reçoit la contribution des libraires du réseau de l'Association des Librairies Spécialisées Jeunesse. Critiques de nouveautés, mais aussi informations et reportages constituent le cœur de ce site qui renvoie par ailleurs sur tous les blogs des librairies du réseau.

- **www.citrouille.net**

Livrjeun

La base de données de l'association Nantes Livres Jeunes propose près de 24 000 fiches critiques d'ouvrages pour la jeunesse. D'usage très pratique, elle constitue un outil fort intéressant pour rechercher un point de vue critique sur un livre pour enfants. Des sélections des comités de lecture sont également mises en ligne chaque mois.

- **www.livrjeun.tm.fr**

Bibliothèque numérique des enfants

Destiné aux enfants, cette bibliothèque numérique met en scène les collections de la Bibliothèque nationale de France et les ouvrages récents d'éditeurs partenaires. Lectures, jeux et animations variées permettent aux enfants d'entrer dans le livre et la culture de manière ludique et (ré)créative.

- **http://enfants.bnf.fr**

Babar, Harrry Potter & Cie - Livres d'enfants, d'hier et d'aujourd'hui

Le très riche site Internet de la grande exposition qui s'est tenue en 2008-2009 à la BNF. On peut y consulter des images des livres de l'exposition, y feuilleter – même en musique – des livres anciens, et y lire de très nombreux textes sur l'histoire du livre pour enfants.

- **http://expositions.bnf.fr/livres-enfants/index.htm**

Eduscol

Le site de l'Éducation nationale pour avoir toutes les informations sur les programmes et les méthodes. On y trouve également la liste conseillée des livres de littérature pour la jeunesse pour les cycles II et III et quelques titres pour le cycle I.

- **http://eduscol.education.fr/cid50485/litterature.html**

Académie de Grenoble

Le site de l'académie de Grenoble (qui publie aussi les revues en ligne *Lire au collège*, *Lire au lycée professionnel*) effectue un travail de sélections bibliographiques (thèmes, âges, nouveautés) très précieux.

- **http://www.crdp.ac-grenoble.fr/doc/litt_jeun/biblio/index.htm**

livres à consulter

Quelques références de livres pour en savoir plus sur les livres pour enfants

mon enfant n'aime pas lire, comment faire ?

Marie Lallouet - Bayard Jeunesse (Les petits guides J'aime lire, n° 1) - 2007
EAN 9782747023214 - 3,90 €

comment fait-on pour apprendre à lire ?

Dans cette collection qui compte cinq volumes, en voici deux dédiés à la question de la lecture (les trois autres traitent respectivement de la littérature pour la jeunesse, de l'apprentissage de l'écriture et de l'Internet). Courts, faciles d'accès, ils seront un bon premier tremplin pour aller plus loin, si besoin. Les éditeurs de Bayard Jeunesse, en particulier Marie Lallouet avec *J'aime lire*, réfléchissent depuis longtemps à ces questions et ont déjà fait la preuve de leur compétence.

Laure Dumont - Bayard Jeunesse (Les petits guides J'aime lire, n° 3) - 2007
EAN 9782747023825 - 3,90 €

aimer lire : guide pour aider les enfants à devenir lecteurs

Même s'il est déjà un peu ancien (certaines ressources citées n'existent plus aujourd'hui) ce recueil d'articles permet un tour d'horizon de la lecture enfantine au travers de multiples entrées et témoignages très vivants.

Bayard Jeunesse, Sceren - 2004 - EAN 9782747014830
EAN 9782240015891 - 19,90 €

des livres d'enfants à la littérature de jeunesse

En complément à l'exposition sur la littérature pour la jeunesse ayant eu lieu à la Bibliothèque nationale de France en 2008, Gallimard a édité ce petit volume très accessible et richement illustré, à l'image de la collection. Une bonne première approche, très agréable, pour découvrir l'histoire de la littérature de jeunesse.

Christian Poslaniec - Gallimard/Bibliothèque nationale de France (Découvertes Gallimard. Littératures, n° 534) - 2008 - EAN 9782070358175
EAN 9782717724264 - 14,30 €

escales en littérature de jeunesse

L'ouvrage propose une bibliographie de tous les incontournables, dans tous les genres et pour tous les âges. C'est un peu dense si on est vraiment novice en la matière, mais l'outil peut être précieux pour ceux qui souhaitent retrouver des repères ou prolonger des découvertes faites ailleurs... ou même constituer un premier fonds de bibliothèque.

La Joie par les livres - Électre-Éditions du Cercle de la Librairie - 2007
EAN 9782765409502 - 49 €

les 1 001 livres d'enfants qu'il faut avoir lus pour grandir

Même s'il comporte des titres non-édités en France et que les couvertures sont reproduites dans leur édition originale (y compris lorsque le livre existe en français !), cette somme reste intéressante à feuilleter pour faire des découvertes ou retrouver ses propres lectures d'enfance. Si les notices sont intéressantes, il aurait été souhaitable d'avoir d'autres entrées possibles que celle de l'âge étant donné le nombre de titres cités.

Préface de Quentin Blake - Ouvrage réalisé sous la direction de Julia Eccleshare - Flammarion (Les 1001) - 2010 - EAN 9782081250888 - 32 €

éloge de la lecture : la construction de soi

Le titre de cet ouvrage résume on ne peut mieux le contenu du livre : l'anthropologue Michèle Petit trace des parcours de lecteurs qui ont pu, grâce aux livres, se construire ou se reconstruire. Comme une preuve de la force de la littérature, on se souviendra de l'écrivain japonais Kenzaburo Oé, cité dans l'ouvrage, nostalgique de son village et retrouvant l'ambiance de ce dernier en lisant... Rabelais !

Michèle Petit - Belin (Nouveaux mondes) - 2002 - EAN9782701132426 - 17 €

POUR ALLER PLUS LOIN

LITTÉRATURE DE JEUNESSE ET PRESSE DES JEUNES AU DÉBUT DU XXIe SIÈCLE
ESQUISSE D'UN ÉTAT DES LIEUX, ENJEUX ET PERSPECTIVES : À TRAVERS LES ROMANS, LES CONTES, LES ALBUMS, LA BANDE DESSINÉE ET LE MANGA, LES JOURNAUX ET LES PUBLICATIONS DESTINÉES À LA JEUNESSE

Raymond Perrin - L'Harmattan - 2008 - EAN 9782296052574 - 43 €

FICTIONS ET JOURNAUX POUR LA JEUNESSE AU XXe SIÈCLE

Deux titres pour TOUT savoir sur la littérature de jeunesse. Pour les passionnés qui cherchent le nom d'une collection disparue ou veulent se remettre en mémoire les derniers rebondissements de l'édition. L'auteur a produit également un volume uniquement consacré au roman policier pour la jeunesse.

Raymond Perrin - L'Harmattan - 2009 - EAN 9782296092082 - 43 €

REGARDS SUR LE LIVRE ET LA LECTURE DES JEUNES : LA JOIE PAR LES LIVRES À 40 ANS !
ACTES DU COLLOQUE, GRAND AUDITORIUM DE LA BIBLIOTHÈQUE NATIONALE DE FRANCE, LES 29 ET 30 SEPTEMBRE 2005, ORGANISÉ PAR LA JOIE PAR LES LIVRES ET LE CENTRE NATIONAL DU LIVRE POUR ENFANTS

Les interventions, variées et toujours pertinentes, donnent un bon aperçu de ce qu'il faut connaître pour comprendre et appréhender les enjeux de la lecture des jeunes. La bibliographie en fin d'ouvrage permet aux plus curieux de creuser toutes les pistes évoquées.

Préface Jean Perrot - Introduction Nic Diament - Amis de La Joie par les livres 2006 - EAN 9782951375383 - 20 €

LA LITTÉRATURE DE JEUNESSE : ITINÉRAIRES D'HIER À AUJOURD'HUI

Universitaire et créatrice de la revue *Nous voulons lire !*, Denise Escarpit (avec la contribution de six autres auteurs) propose dans cet ouvrage un parcours raisonné, critique et passionnant dans l'histoire de la littérature de jeunesse.

Denise Escarpit - Avec la participation de Pierre Bruno, Christiane Connan-Pintado, Florence Gaïotti et al. - Magnard - 2008 EAN9782210720015 - 25 €

MANGA : HISTOIRE ET UNIVERS DE LA BANDE DESSINÉE JAPONAISE

Il y a de nombreux ouvrages sur l'histoire du Manga. Celui-ci a le mérite, au-delà de citer une multitude de séries à découvrir, d'expliquer clairement la spécificité de la « lecture » de mangas et l'intérêt que peut y trouver le lecteur. L'auteur n'occulte pas non plus la spécificité du genre : à savoir son caractère aujourd'hui essentiellement commercial de produit de consommation rapide. Mais ce résultat est aussi le fruit d'une longue histoire. À découvrir.

Jean-Marie Bouissou - Picquier - 2010 - EAN 9782809701975 - 19,50 €

REVUES

LA REVUE DES LIVRES POUR ENFANTS

Cette revue donne un aperçu d'une bonne partie de la production pour la jeunesse, y compris en ce qui concerne les jeux vidéo. Le dossier thématique, à chaque numéro, offre une vision sur un pan de la création pour la jeunesse (littérature d'un pays, regard sur un auteur, etc.).

6 numéros par an. Abonnement : 57 €, un numéro : 10,50 €
http://lajoieparleslivres.bnf.fr

LECTURE JEUNE

Une revue spécialisée dans les critiques d'ouvrages pour et sur les adolescents et jeunes adultes. La thématique du numéro aborde les questions touchant l'adolescence : création, sociologie, psychologie, etc.

4 numéros par an. Abonnement : 42 €, un numéro : 14 €
http://www.lecturejeunesse.com

1699
Les Aventures de Télémaque
Écrit pour le seul usage du Duc de Bourgogne, petit fils de Louis XIV, **Les Aventures de Télémaque** est un roman d'aventure à visée éducative qui rencontre immédiatement le succès.

1719
Robinson Crusoé
L'ouvrage, d'abord destiné aux adultes, fera les beaux jours de l'édition jeunesse sous des formes extrêmement diverses et avec de nombreuses illustrations plus ou moins fidèles au texte. Il sera (involontairement) à l'origine de la création d'un genre : la robinsonnade.

1758
Le Magasin des enfants
Recueil de contes (contenant **La Belle et la Bête**) de **Mme Leprince de Beaumont**, destiné explicitement aux enfants. Il connaîtra de nombreuses rééditions.

1768
Le Journal d'éducation
Premier mensuel destiné à la jeunesse.

1853
La Bibliothèque des Chemins de fer
Dans les six genres qui composent cette Bibliothèque, Hachette propose des œuvres pour enfants. Le succès viendra de manière inattendue avec les textes de la **Comtesse de Ségur** (dès 1857) et ne se démentira pas ensuite.

1843
Le Nouveau Magasin des enfants
Collection destinée aux enfants dans laquelle **Hetzel** publie des grands auteurs et écrit lui-même sous le pseudonyme de **P. J. Stahl**.

1863 (à partir de)
Les voyages extraordinaires
Jules Verne signe un contrat d'édition avec **Hetzel**. Il sera l'écrivain principal de la collection avec ses **Voyages extraordinaires** devenus aujourd'hui des classiques (**Cinq semaines en ballon**, **De la Terre à la Lune**, etc.).

1864
Le Magasin de l'éducation et de la récréation
Revue bimensuelle destinée aux enfants publiée par **Hetzel**.

1905
La Semaine de Suzette
C'est dans ce magazine pour lectrices qu'apparaît pour la première fois **Bécassine**.

1916
Collection Contes et légendes
Nathan lance cette collection en pleine guerre et malgré la pénurie de papier. Elle existe encore aujourd'hui.

Années 1920
Bicot, Les pieds Nickelés, Zig et Puce...
La bande dessinée pour la jeunesse se développe dans la presse.

1929
Tintin au Pays des Soviets, Hergé
Première histoire de **Tintin** parue dans le journal Le Petit Vingtième.

1955
Le Club des Cinq, Enid Blyton
C'est le début des séries dites « commerciales ». Si les bibliothécaires et les enseignants déplorent une absence de qualité littéraire, le public adore et c'est un véritable succès.

STOIRE*

.ESCENTS EN QUELQUES TITRES

1959
Pilote

Le journal de bandes dessinées créé par **Uderzo**, **Goscinny** et **Charlier** lancera **Astérix**, **Blueberry**, **Iznogoud**...

1962
Oui Oui au Pays des jouets, Enid Blyton

Avec **Oui Oui** (Collection Mini Rose, Hachette) débutent aussi les séries destinées aux plus jeunes lecteurs.

1972
Collection Travelling, Duculot

Les éditeurs commencent à cibler le public adolescent avec des titres qui abordent les sujets de société. La même année, **Gallimard Jeunesse** crée la collection **« 1000 Soleils »**.

1977
Folio Junior

Gallimard Jeunesse signe avec cette collection l'arrivée (réussie) du livre de poche en littérature de jeunesse.

Années 1980

De nombreuses collections se créent et les éditeurs les déclinent de plus en plus systématiquement en les segmentant par âges et par thèmes (voir par sexe) afin de toucher tous les publics potentiels.

1984

Création du **Salon du livre et de la presse jeunesse à Montreuil**.

1986
Création du Prix Sorcières

Prix décerné par l'**Association de Libraires Spécialisés Jeunesse** et l'**Association des Bibliothécaires de France** (à partir de 1989).

1997
Harry Potter à l'école des sorciers,

Passé un peu inaperçu à sa sortie, le roman de **J. K. Rowling** va connaître un engouement inattendu des lecteurs pour devenir le phénomène de société que l'on sait.

2001
Chair de poule

La collection de romans d'horreur de **R. L. Stine** lancée par **Bayard** connaît un succès immédiat auprès des enfants mais elle est vivement critiquée par les bibliothécaires et autres médiateurs. Comme **Le Club des Cinq** à son époque qui, du coup, redore son blason et prend des allures de classique à conseiller.

2005
Twilight

Premier volume de la série de **Stephenie Meyer** qui va devenir un best-seller international en fascinant adolescents et adultes.

2006
Collection Exprim'

Lancée par les éditions **Sarbacane**, une collection originale dans le paysage éditorial : de jeunes auteurs venant principalement du monde de la musique et du Slam publient ici leur premier roman.

2011
Les livres numériques

On découvre les prémices de ce que sera peut-être la création éditoriale pour la jeunesse adaptée aux nouveaux supports. **Gallimard Jeunesse** adapte des titres de sa collection Premières Découvertes pour tablettes numériques.

Sources

Fictions et journaux pour la presse jeunesse au XXe siècle
Littérature de jeunesse et presse des jeunes au début du XXIe siècle
Raymond Perrin, L'Harmattan
Des livres d'enfants à la littérature de jeunesse
Christian Poslaniec, Gallimard (Découvertes)

* Ces repères sont centrés sur la littérature pour les 8-16 ans. Pour les livres concernant les plus jeunes lecteurs se reporter au premier titre de la collection : *Je cherche un livre pour un enfant – Le guide des livres pour enfants de la naissance à 7 ans*, de Sophie Van der Linden.

INDEX DES

TITRES

pr = premier rabat
dr = dernier rabat

Attention, les titres de séries sont répertoriés à part en fin d'index des titres

D

e

F

G

Index des TITRES

N

O

P

Q

R

index des

TITRES

Index des

Séries et ouvrages en plusieurs volumes

pr = premier rabat
dr = dernier rabat

INDEX DES

SÉRIES ET OUVRAGES EN PLUSIEURS VOLUMES

pr = premier rabat
dr = dernier rabat

T

U

V

W

Y

Z

index des

auteurs

pr = premier rabat
dr = dernier rabat

a

B

C

D

e

F

G

H

I

index des

auteurs

index des
auteurs